W9-BBU-960

FRIEDRICH DÜRRENMATT
GESAMMELTE HÖRSPIELE

Dürrenmatt

FRIEDRICH DÜRRENMATT

GESAMMELTE HÖRSPIELE

IM VERLAG DER ARCHE ZÜRICH

Umschlagentwurf: Hans Bächer

Printed in Switzerland by Buchdruckerei AG Baden
Einband: J. Stemmle & Co., Zürich

DER DOPPELGÄNGER

EIN SPIEL

DIE STIMMEN

Regisseur
Schriftsteller
Der Mann (Pedro)
Der Doppelgänger (Diego)
Die Frau (Inez)
Eine Frauenstimme

REGISSEUR: Sie haben mir versprochen, eine Geschichte zu erzählen, Herr Hörspielautor. Ich bitte Sie darum. Ich verfüge über viele Stimmen, und ich darf sagen, daß es gute Stimmen sind.
SCHRIFTSTELLER: Ich habe Ihnen versprochen, eine Geschichte zu erzählen, Herr Hörspielregisseur. Es ist eine dunkle Geschichte, die mir auf dem Herzen liegt, und eine seltsame, doch muß ich gestehen, daß ich nicht viel mehr von ihr weiß als das Motiv. Es macht dies aber nichts: Eine Handlung stellt sich immer zur rechten Zeit ein.

REGISSEUR: Vorsicht. Ich bin verpflichtet, den Hörern ein geordnetes Spiel zu bieten, und eine verworrene Handlung wäre peinlich. Ich bitte Sie, dies zu bedenken.
SCHRIFTSTELLER: Soweit es möglich ist, werde ich daran denken.
REGISSEUR: Ich bitte Sie darum.
SCHRIFTSTELLER: Ich denke mir einen Mann.
REGISSEUR: Sein Name?
SCHRIFTSTELLER: Ich kenne ihn nicht, denn sein Name ist gleichgültig. Er ist ein Mensch wie jeder von uns.
REGISSEUR: Sein Beruf und seine Stellung unter den Menschen?
SCHRIFTSTELLER: Auch dies ist unwichtig.
REGISSEUR: Hm. Darf ich wenigstens das Land wissen, in welchem er lebt.
SCHRIFTSTELLER: Nebensächlich.
REGISSEUR: Irgendwo muß dieser Mensch doch leben.
SCHRIFTSTELLER: Nun gut. Denken wir uns eine weite Hügellandschaft, sich irgendwo in trostlose Gebirge verlierend und dämmerhafte Seen, eine verlorene Großstadt vielleicht und anderswo Tannenwälder und eine unermeßliche Ebene, alles nun überglänzt von einem halbierten Mond zwischen jagenden Wolken.

REGISSEUR: Wie im Traum.
SCHRIFTSTELLER: Wie im Traum. Dann ein Zimmer, in welchem der Mann schläft.
REGISSEUR: Bitte.
SCHRIFTSTELLER: Es ist nur dreierlei bedeutend: Die Nacht um ihn, die Einsamkeit seiner Seele und der Abgrund des Schlafes, in den er versunken.
REGISSEUR: Sie schweigen?
SCHRIFTSTELLER: Es fällt mir schwer, diese Geschichte zu erzählen, aus Furcht, nicht verstanden zu werden, und es ist wichtig, daß ich verstanden werde.
REGISSEUR: Ich werde fragen, wenn ich Sie nicht verstehe.
SCHRIFTSTELLER: Fragen Sie, und Sie werden mir helfen.
REGISSEUR: Sie dürfen beruhigt sein.
SCHRIFTSTELLER: Vor ihm, dem Schlafenden, zwischen dem Licht und dem Bett sitzt sein Doppelgänger, der ihn betrachtet, als dunkler Schatten vor der schwach brennenden Lampe.
REGISSEUR: Sein Doppelgänger?
SCHRIFTSTELLER: Sie scheinen dieses Motiv nicht zu lieben?
REGISSEUR: Es ist ungewöhnlich, und ich liebe es nicht, weil es oft zu billigem Spuk mißbraucht worden ist.
SCHRIFTSTELLER: Es würde mir großes Unrecht geschehen, wenn meine Geschichte so aufgefaßt würde. Ich weiß von der Ehrfurcht, mit der ein solches Motiv behandelt sein will.
REGISSEUR: Dies wäre der Ausgangspunkt der Handlung?
SCHRIFTSTELLER: Sind Sie damit einverstanden?
REGISSEUR: Sie wissen, daß ich mein Unbehagen geäußert habe, und ich bitte Sie, die Erzählung fortzusetzen.
SCHRIFTSTELLER: Ich brauche eine ruhige Männerstimme, in der wir eine gewisse Furcht zu hören vermeinen.
REGISSEUR: Ich kann Ihnen dienen.

SCHRIFTSTELLER: Der Doppelgänger sollte eine tiefere Stimme haben, bestimmt und groß.
REGISSEUR: Wie Sie es wünschen.
SCHRIFTSTELLER: Durch ein Geräusch erschreckt, erwacht der Mann und schaut nach seinem Doppelgänger, den er nicht erkennt. Er liegt unbeweglich, von der ersten Furcht gelähmt, so daß er nur langsam die Sprache findet. Dann aber spricht er ruhig und deutlich.

DER MANN: Wer sind Sie?
DER DOPPELGÄNGER: Sie sollen nicht fragen.
DER MANN: Was wollen Sie von mir in dieser Nacht?
DER DOPPELGÄNGER: Das werden Sie sehen.
DER MANN: Sie sind ein Dieb?
DER DOPPELGÄNGER: Nein.
DER MANN: Warum sind Sie gekommen?
DER DOPPELGÄNGR: Um Ihnen zu sagen, daß Sie zum Tode verurteilt worden sind.
DER MANN: Sie kommen in der Nacht zu mir und sitzen an mein Bett. Ich kenne Sie nicht, und Sie sagen, daß ich zum Tode verurteilt worden bin.
DER DOPPELGÄNGER: Es ist so.
DER MANN: Wer hat mich zum Tode verurteilt?
DER DOPPELGÄNGER: Ich kenne das Gericht nicht.
DER MANN: Weshalb?
DER DOPPELGÄNGER: Ein Mensch wurde getötet.

REGISSEUR: Ich muß protestieren.
SCHRIFTSTELLER: Ich kann Sie nicht daran hindern.
REGISSEUR: Ich bin verpflichtet, meinen Hörern eine geordnete Geschichte zu bieten. Wenn jemand zum Tode verurteilt worden ist, muß man wissen, *wer* zum Tode verurteilte.
SCHRIFTSTELLER: Ich möchte dieses Gericht lieber nicht ins Spiel ziehen.

REGISSEUR: Vergreifen Sie sich nicht an den Gesetzen der Dramatik, mein Herr.
SCHRIFTSTELLER: Wen schlagen Sie vor?
REGISSEUR: Welche Frage! Irgendein hohes Gericht.
SCHRIFTSTELLER: Gut. Das hohe Gericht.
REGISSEUR: Fangen wir noch einmal an.

DER MANN: Wer sind Sie?
DER DOPPELGÄNGER: Sie sollen nicht fragen.
DER MANN: Was wollen Sie von mir in dieser Nacht?
DER DOPPELGÄNGER: Das werden Sie sehen.
DER MANN: Sie sind ein Dieb?
DER DOPPELGÄNGER: Nein.
DER MANN: Warum sind Sie gekommen?
DER DOPPELGÄNGER: Um Ihnen zu sagen, daß Sie zum Tode verurteilt worden sind.
DER MANN: Sie kommen in der Nacht zu mir und sitzen an mein Bett. Ich kenne Sie nicht, und Sie sagen, daß ich zum Tode verurteilt worden bin.
DER DOPPELGÄNGER: Es ist so.
DER MANN: Wer hat mich zum Tode verurteilt?
DER DOPPELGÄNGER: Das hohe Gericht.
DER MANN: Weshalb?
DER DOPPELGÄNGER: Ein Mensch wurde getötet.
DER MANN: Was kümmert mich dieser Mensch. Ich habe nicht getötet.
DER DOPPELGÄNGER: Ich habe getötet.
DER MANN: Sie sind ein Mörder?
DER DOPPELGÄNGER: Ich bin ein Mörder.
DER MANN: So müssen Sie sterben.
DER DOPPELGÄNGER: Das hohe Gericht bestimmte, daß es Ihnen zukomme, meine Schuld zu tragen und für mich zu sterben.
DER MANN: Ein Irrtum!

REGISSEUR: Wie im Traum.
SCHRIFTSTELLER: Wie im Traum.
REGISSEUR: Und dieses hohe Gericht hat den Mann zum Tode verurteilt?
SCHRIFTSTELLER: Es scheint so.
REGISSEUR: Weil alle Menschen des Todes schuldig seien?
SCHRIFTSTELLER: Seine Behauptung.
REGISSEUR: Diesen Satz kann man doch nicht wörtlich nehmen.
SCHRIFTSTELLER: Das hohe Gericht nimmt ihn wörtlich.
REGISSEUR: Und wie denken Sie sich die Handlung weiter?
SCHRIFTSTELLER: Ich muß gestehen, daß sie mir erst in großen Zügen deutlich wird. Ich denke mir, daß bald darauf Männer in das Haus dringen und den Mann im Namen des hohen Gerichts verhaften.
REGISSEUR: Und der Doppelgänger?
SCHRIFTSTELLER: Ist verschwunden. Die Männer führen den Mann ins Gefängnis. Er versichert, unschuldig zu sein, aber sie zucken die Achseln. Er protestiert, man hört nicht auf ihn.
REGISSEUR: Er wird sich einen Rechtsanwalt nehmen.
SCHRIFTSTELLER: Die Rechtsanwälte lehnen die Übernahme seines Falles ab, da seine Schuld deutlich, das Urteil gefällt und die Behauptung, ein Doppelgänger habe den Mord begangen, nun doch zu billig sei.
REGISSEUR: Dann weiß nur das hohe Gericht und er, daß es einen Doppelgänger gibt?
SCHRIFTSTELLER: Niemand anders weiß es.
REGISSEUR: Er wird sich ans hohe Gericht wenden.
SCHRIFTSTELLER: Ans hohe Gericht kann man sich nicht wenden.
REGISSEUR: Sie flößen mir über diese Institution eine merkwürdige Meinung ein.

SCHRIFTSTELLER: Ich kann es nicht ändern.
REGISSEUR: Der Mann wird unter so empörenden Zuständen des Rechts in diesem Lande die Beteuerung seiner Unschuld fortsetzen.
SCHRIFTSTELLER: Immer wieder schreit der Mann in die Nacht seiner Zelle, daß er unschuldig sei.

DER MANN: Ich bin unschuldig. Ich kann nur sagen, daß ich unschuldig bin. Ich weiß, daß ich keinen Glauben finde und daß die Ohren meiner Richter ohne Gefühl sind wie die Wände meines Kerkers. Aber ich bin unschuldig. Ich bin ein Mensch wie jeder von Euch. Ich stehe am Morgen auf und schleppe mich durch den Tag, verdiene, um zu essen, esse, um zu verdienen und freue mich, wenn es Stunden gibt, in denen die Freude glänzt. O fragen Sie nicht, warum ich hier bin, zwischen diesen kahlen Wänden aus Stein, ich will es nicht mehr wissen. Ich kann nur sagen, daß ich unschuldig bin und nicht getötet habe. Wie könnte ich töten, wie könnten meine Hände töten, die nie anderes getan haben denn die Arbeit, die mich nährte. Ich weiß, daß jeder, der mich hört, glauben muß, ich sei ein Schwindler oder ein Feiger, oder ein armer Irrer. Ich bin unschuldig. Mein Gott, ich bin unschuldig. Ich muß diesen Satz immer wieder in die Nacht hineinbrüllen: Ich bin unschuldig, um mich an diesem Wort aufzurichten, mein Recht zu verteidigen vor Gott und den Richtern: Ich bin unschuldig!

REGISSEUR: Der Mann hat recht. Das sieht jeder, daß der Mann recht hat.
SCHRIFTSTELLER: Die Nacht kommt, die dem Morgen seines Todes vorangeht. Er liegt auf einer Pritsche, das Gesicht gegen die Türe gerichtet, die sich öffnet. In dem schwarzen Viereck erblickt er den Doppelgänger, der sich langsam aus der Nacht löst.

DER MANN: Sie sind noch einmal zu mir gekommen?
DER DOPPELGÄNGER: Ich bin wieder bei Ihnen.
DER MANN: Was wollen Sie noch von mir, wenn ich doch sterben muß?

SCHRIFTSTELLER: Die beiden sprechen zu pathetisch. Zu viel Gefühl.
REGISSEUR: Zu pathetisch? Zu viel Gefühl?
SCHRIFTSTELLER: Sie sollten nüchtern und klar sprechen. Es geht um die Sache, nicht um ihre Gefühle.
REGISSEUR: Wie Sie wollen. Bitte. Sie werden sprechen, als ginge es um irgendein Bankgeschäft.

DER MANN: Sie sind noch einmal zu mir gekommen?
DER DOPPELGÄNGER: Ich bin wieder bei Ihnen.
DER MANN: Was wollen Sie noch von mir, wenn ich doch sterben muß?
DER DOPPELGÄNGER: Ich bin gekommen, das Bekenntnis Ihrer Todesschuld zu hören.
DER MANN: Ich muß sterben. Ich kann mich nicht wehren. Aber ich werde noch im Sterben schreien: Ich bin unschuldig.
DER DOPPELGÄNGER: Sie bestehen darauf, unschuldig zu sein?
DER MANN: Ich habe nicht getötet.

Der Doppelgänger löst seine Fesseln.

DER MANN: Sie lösen meine Fesseln?
DER DOPPELGÄNGER: Stehen Sie auf!
DER MANN: Wohin führen Sie mich?
DER DOPPELGÄNGER: Was kümmert Sie das.
DER MANN: Warum haben Sie die Macht, meine Fesseln zu lösen?
DER DOPPELGÄNGER: Ich handle im Namen des hohen

Gerichts. Kommen Sie mit mir. Schon durcheilen wir den langen Gang und gehen die Treppe hinab.

Schritte.

DER MANN: Wir gehen die Treppe hinab, und niemand hält uns auf, und kein Wärter sieht uns. Was will das hohe Gericht von mir?

Schritte.

DER DOPPELGÄNGER: Da Sie sich als unschuldig betrachten, hat das hohe Gericht Sie mir übergeben.

Schritte.

DER MANN: Wir gehen über den Hof, und das große Tor öffnet sich von selbst.

Schritte.

DER DOPPELGÄNGER: Wir betreten die Einsamkeit der Straßen und Plätze, und Sie sollen noch in dieser Nacht erkennen, daß Sie des Todes schuldig sind.

Schritte.

DER MANN: Wie soll ich dies erkennen?

Schritte.

DER DOPPELGÄNGER: Sie werden einen Menschen töten.

Schritte.

DER MANN: Ich bin kein Mörder.

Schritte.

DER DOPPELGÄNGER: Was wissen Sie von dem, was in Ihnen verborgen ist? Wer kennt sich selber? Sie werden nach eigenem Willen handeln und zum Mörder werden.

Schritte.

DER MANN: Wen werde ich töten?

Schritte.

DER DOPPELGÄNGER: Wollen Sie das wissen?

Schritte.

DER MANN: Ich will es wissen.

Schritte.

DER DOPPELGÄNGER: Sie werden mich töten.

Schritte.

DER MANN: Nie werde ich einen Menschen töten. Bei dieser Nacht und bei diesem Himmel schwöre ich: Nie werde ich einen Menschen töten.

Schritte.

DER DOPPELGÄNGER: Was haben Sie in Gedanken erwogen, als ich Ihre Zelle betrat?

Schritte.

DER MANN: Wie können Sie dies wissen?

Schritte.

DER DOPPELGÄNGER: Ich kenne Ihre Gedanken.

Schritte.

REGISSEUR: Schritte, nichts als Schritte. Erzählen Sie weiter.

SCHRIFTSTELLER: Der Mann folgt seinem Doppelgänger, der ihn durch einsame Gassen führt, mitten durch die große Stadt, durch verlassene Parkanlagen und später durch Stadtteile, die der Mann noch nie gesehen und von denen er noch nie gehört hat, in denen die Häuser altertümlich sind, mit merkwürdigen Giebeln, die sich mit scharfen Zacken vom Himmel abheben und gotischen Spitzbögen, die Fronten mit seltsamen Zeichen bemalt. Doch sind die Gassen leer und still, und nur der Widerhall ihrer Schritte ist um die beiden. Dann betreten sie ein Haus in einer kleinen gewundenen Gasse. Die Häuser sind grau und verwittert, und der Mann sieht an ihnen Spuren einer Zeit, von der wir kaum Kunde besitzen. Die Fenster sind leer oder mit Fellen verhängt. Das Haus aber, das sie betreten, besitzt gegen die Gasse keine Fenster, obgleich es die größte Fassade hat, die ohne Schmuck sich als eine dumpfe, vermoderte Fläche über die Gasse neigt, nur unterbrochen von einer Türe, die nieder ist und breit, gleich einem Joch, da die Schwelle sich unter der Höhe der Gasse befindet.

REGISSEUR: Wie im Traum.

SCHRIFTSTELLER: Immer wieder wie im Traum.

Man hört eine Türe sich öffnen.

DER DOPPELGÄNGER: Achten Sie darauf, daß Sie nicht fallen.

DER MANN: Wo sind wir?

DER DOPPELGÄNGER: Wir sind mitten im Herzen der Stadt. Ich schließe die Türe wieder.

DER MANN: Es ist dunkel.

DER DOPPELGÄNGER: In der Halle ist Licht. Nur einige Schritte und Sie werden das Licht sehen.

DER MANN: Ist das Ihr Haus?

DER DOPPELGÄNGER: Es ist mein Haus. Treten Sie in die große Halle ein.

DER MANN: Ein großer Tisch aus schwerem Holz mit glatter Fläche und dunkle Bilder an den Wänden.

DER DOPPELGÄNGER: Es geschieht selten, daß einer seinen Mörder willkommen heißt: Ich heiße Sie willkommen.

DER MANN: Ich bin in Ihrer Gewalt.

DER DOPPELGÄNGER: Ich bitte Sie, die Treppe nach oben zu sehen.

DER MANN: Die Treppe endet in einer Empore, die sich im Dunkel verliert.

DER DOPPELGÄNGER: Jemand erwartet Sie dort.

DER MANN: Ich sehe eine Frau, die nun langsam aus dem Dunkel tritt.

DER DOPPELGÄNGER: Sie steht unbeweglich oben an der Treppe und schaut nach Ihnen.

DER MANN: Sie schaut mitten in mein Gesicht.

DER DOPPELGÄNGER: Ist sie nicht schön?

DER MANN: Sie ist schön.

DER DOPPELGÄNGER: Haben Sie je ein schöneres Weib gesehen?

DER MANN: Nie sah ich ein schöneres Weib.

PEDRO: Warum haben Sie mich dann befreit, wenn Sie dies alles wußten?
DIEGO: Es tut nicht gut, die Wahrheit zu wissen.
PEDRO: Ich will sie wissen.
DIEGO: Ich kam in dieser Nacht in Ihre Zelle, um für Sie zu sterben. Aber Sie haben meine Schuld nicht auf sich genommen.
PEDRO *leise:* Ich habe Ihre Schuld nicht auf mich genommen.
DIEGO: Wenn Sie dies getan hätten in der Nacht, die nun vergeht, wären Sie frei gewesen.
PEDRO: Frei?
DIEGO: Im Namen des hohen Gerichts. Ich wäre gern für Sie gestorben.
PEDRO: Dies hatte das hohe Gericht bestimmt?
DIEGO: Sein Wille.
PEDRO: Sie sagen die Wahrheit?
DIEGO: Sie haben sie gewollt.
PEDRO: Und nun habe ich getötet.
DIEGO: Inez und mich. Ich trank vom Wein, den Sie mir gaben.
PEDRO: Was sind Sie für ein Mensch?
DIEGO: Ein Mensch wie Sie, nichts weiter.

REGISSEUR: Er stirbt?
SCHRIFTSTELLER: Er stirbt.
REGISSEUR: Zwei Morde in zehn Minuten. Wie im Kino. Sie machen Fortschritte.
SCHRIFTSTELLER: Sie wünschten etwas Handfestes.
REGISSEUR: Und Pedro erwacht.
SCHRIFTSTELLER *verwundert:* Wie meinen Sie das?
REGISSEUR: Alles war nur ein Traum.
SCHRIFTSTELLER *bestürzt:* Wieso?
REGISSEUR: Die Einsamkeit seiner Seele, der Abgrund des Schlafs, in den er versunken, die weite Hügellandschaft,

sich irgendwo in trostlose Gebirge und dämmerhafte Seen verlierend, wie Sie sich auszudrücken beliebten, die verlorene Großstadt mit altertümlichen Häusern und merkwürdigen Giebeln, die sich von einem nächtlichen Himmel abheben, alles überglänzt von einem halbierten Mond: Kulissen einer Nacht, aus der man schreckhaft erwacht. Wie im Traum, waren ihre Worte, immer wie im Traum.

SCHRIFTSTELLER: Wie im Traum, gewiß, so kam alles dem Manne vor, doch das stille, weiße, tote Weib blieb in der Nische unter dem dunklen Bild und sein Doppelgänger zusammengesunken im Sessel am hölzernen Tisch, die blieben auch in der unbarmherzigen Fülle angeschwemmten Lichts.

REGISSEUR *verwundert:* Was wollen Sie damit sagen?

SCHRIFTSTELLER: Der Mann ging hin an diesem Morgen, der mächtig und silbern über der Stadt hing, und stellte sich dem hohen Gericht. Er bekannte sich des Todes schuldig.

REGISSEUR *bestürzt:* Es war kein Traum?

SCHRIFTSTELLER: Es hat sich nie um einen Traum gehandelt.

REGISSEUR: Ich protestiere. Der Morgen mag noch so silbern und noch so mächtig über der Stadt hängen und ich wette, gleich kommen Sie noch mit der plötzlich frei schwebenden Sonne. Eine billige Attrappe von etwas Nebel und Licht genügt nicht, den Schluß zu verherrlichen, den Sie Ihrer Geschichte geben wollen.

SCHRIFTSTELLER: Wenn der Mann erwacht wäre, wenn alles nur ein Traum gewesen wäre, wären Sie zufrieden gewesen?

REGISSEUR: Das wäre wenigstens eine Lösung gewesen. Im Traum ist alles erlaubt, auch das Ungerechte. In den Träumen ist das Gruseln legitim. Wenn Sie aber die Geschichte, die Sie mir da erzählt haben, aus dem Traum in die Wirklichkeit ziehen wollen, wird sie eine ärgerliche Geschichte.

SCHRIFTSTELLER: Es ist mein Prinzip, nur ärgerliche Geschichten zu erzählen.

REGISSEUR: Das haben Sie vollkommen erreicht. Dem Manne, den wir Diego genannt haben, ist Unrecht geschehen.

SCHRIFTSTELLER: Sie meinen Pedro?

REGISSEUR: Es ist mir gleichgültig, wie der Mann heißt.

SCHRIFTSTELLER: Ich war auch immer der Meinung.

REGISSEUR: Es geht mir um die Sache, nicht um Namen. Ich gebe zu, daß der Mann zum Mörder wurde und daß er so schuldig geworden ist. Wir müssen jedoch die Hintergründe betrachten, die ihn zum Morde trieben, und wir müssen sagen, daß er unschuldig zum Mörder wurde. Er beging ein Verbrechen, weil er eine Schuld nicht auf sich nahm, die er nicht begangen hatte. Was von ihm verlangt wurde, kann nicht verlangt werden. Seine jetzige Schuld kann das Unrecht nicht aufheben, das an ihm begangen wurde. Ich will mit dem Mann sprechen. Er wird mir recht geben.

SCHRIFTSTELLER: Sie wollen mit ihm sprechen?

REGISSEUR: Bin ich nicht der Regisseur?

SCHRIFTSTELLER: Sie haben recht. Sie sind der Regisseur.

REGISSEUR: Sagen Sie mir, wo ich den Mann sprechen kann.

SCHRIFTSTELLER: Wie der Doppelgänger starb, erhob sich der Mann und wandte sich gegen die Türe, die er unverschlossen fand. Er verließ das Haus und eilt nun durch die Stadt.

DER MANN: Ich habe getötet! Hört, ihr Menschen, ich habe getötet! Ich eile durch die Gassen dahin und über die Plätze dahin, die vor mir liegen im Morgen. Ich bin schuldig, ich bin des Todes schuldig, denn ich habe eine

Frau getötet und einen Mann. Ich habe getötet, ich muß immer wieder schreien: Ich habe getötet!

SCHRIFTSTELLER: Er eilt durch die Straßen der Stadt, die Hände zum Himmel gereckt und die Augen weit geöffnet.
REGISSEUR: Ich werde ihn an der Straßenecke erwarten.
SCHRIFTSTELLER: Er wird vor Ihnen auftauchen aus den Schleiern von Licht und Nebel, und Sie werden sein Gesicht sehen.

Eilende Schritte, die sich nähern.

REGISSEUR: Warten Sie! Ich bitte, warten Sie!
DER MANN: Wer ruft mich?
REGISSEUR: Ein Freund.
DER MANN: Was wollen Sie von mir?
REGISSEUR: Ich muß mit Ihnen reden.
DER MANN: Ich habe getötet.
REGISSEUR: Gehen Sie nicht von mir.
DER MANN: Ich habe Ihnen nichts anderes zu sagen.
REGISSEUR: Ich habe Sie an dieser Straßenecke erwartet, damit Sie wissen, daß ich zu Ihnen stehe. Ich werde Sie bis zum letzten verteidigen.
DER MANN: Ich brauche keine Hilfe.
REGISSEUR: Das Unglück ist groß und das hohe Gericht hierzulande offenbar allmächtig, wie es scheint. Aber wir werden viel erreichen, denn Sie sind unschuldig.
DER MANN: Ich habe getötet.
REGISSEUR: Sie sind verwirrt. Das Unglück ist über Sie gekommen und hat Sie verwirrt. Wenn Sie nachdenken, wird es Ihnen deutlich, daß Sie unschuldig sind. Zwar leugnen wir nicht, daß eine gewisse Schuld an Ihnen haftet, doch berücksichtigen wir das Vorgehen des hohen Gerichts und das ungerechte Todesurteil, das über Sie ge-

fällt wurde. Wir wissen, daß Sie durch dieses Unrecht zum Verbrechen gezwungen wurden.

DER MANN: Ich werde mich dem hohen Gericht unterwerfen.

REGISSEUR: Das hohe Gericht ist ungerecht. Es hat schon zum vorneherein gegen Sie entschieden.

DER MANN: Ich sehe heute, daß es recht hatte.

REGISSEUR: Niemand kann auf eine Schuld hin zum Tode verurteilt werden, die er nicht beging.

DER MANN: Ich war ein Mörder, ohne zu töten, ich war des Todes schuldig, ohne ein Verbrechen begangen zu haben.

REGISSEUR: Das ist ungerecht. Vom Menschen aus gesehen, ist das ungerecht.

DER MANN: Ich habe es aufgegeben, vom Menschen aus zu sehen.

REGISSEUR: Was von Ihnen in jener nächtlichen Stunde im Gefängnis verlangt wurde, kann von keinem Menschen verlangt werden.

DER MANN: Wurde von mir mehr verlangt als Glaube?

REGISSEUR *verwundert:* Glaube?

DER MANN: Glaube an die Gerechtigkeit des hohen Gerichts.

REGISSEUR: Wenn Sie jetzt glauben, das hohe Gericht habe recht, müssen Sie sich aufgegeben haben.

DER MANN: Ich habe mich aufgegeben.

REGISSEUR: Gerade jetzt müssen Sie weiterkämpfen!

DER MANN: Es ist Morgen, mein Herr.

REGISSEUR *unsicher:* Gewiß. Es ist Morgen.

DER MANN: Der Bote des hohen Gerichts wartet am Ende der Gasse.

REGISSEUR: Ein schäbiger Polizist.

DER MANN: Er wird mich zu meinen Richtern führen.

REGISSEUR: Sie wollen sich dem hohen Gericht ergeben?

DER MANN: Es gibt nichts Schöneres, als sich ihm zu ergeben. Nur wer seine Ungerechtigkeit annimmt, findet seine Gerechtigkeit, und nur wer ihm erliegt, findet seine Gnade.

REGISSEUR: Sie sind unschuldig. Sie wissen doch, daß Sie unschuldig sind!

Schritte, die sich eilends entfernen.

SCHRIFTSTELLER: Nun?

REGISSEUR *bitter:* Der Kerl geht.

SCHRIFTSTELLER: Sie wundern sich darüber?

REGISSEUR: Es ist schändlich. Der Kerl kapituliert. Er glaubt, das hohe Gericht sei ein gerechtes Gericht.

SCHRIFTSTELLER: Und Sie?

REGISSEUR: Ich kann mir nicht leicht etwas Grausameres denken als dieses Gericht.

SCHRIFTSTELLER: Weil Sie nicht an seine Gerechtigkeit glauben.

REGISSEUR: Sie glauben daran?

SCHRIFTSTELLER: Ich bin Schriftsteller. Ich stelle dar.

REGISSEUR: Sie wollten mir durch diese Geschichte die Gerechtigkeit des hohen Gerichts beweisen.

SCHRIFTSTELLER: Das hohe Gericht haben Sie ins Spiel gebracht, nicht ich.

REGISSEUR: Um so besser. Nun haben wir wenigstens etwas, das wir anklagen können und stehen nicht irgendeinem nebelhaften Gott gegenüber, oder was uns sonst ihr Schriftsteller als letzten Ausweg anzupreisen pflegt. Die letzte Instanz ist vorhanden, in einem Rokokoschlößchen mitten in einem weiten Park, wie ich mich erinnere, mit hämmernden Spechten und einem Kuckuck am Abend. Ich bitte Sie, mich dorthin zu führen.

SCHRIFTSTELLER *bestürzt:* Sie wollen?

REGISSEUR: Ich pflege die Schriftsteller immer beim Wort zu nehmen.

SCHRIFTSTELLER: Ich kann Sie nicht hindern.

REGISSEUR: Wir stehen im Park?
SCHRIFTSTELLER: Wir stehen im Park. Irgendwo ein hämmernder Specht.

Man hört das Hämmern eines Spechts.

SCHRIFTSTELLER: Das Rufen des Kuckucks.

Man hört einen Kuckuck rufen.

SCHRIFTSTELLER: Seltsam zu dieser Tageszeit. Alles halb versunken. Zedern, Akazien, Fichten, die schwarzen Automobile der hohen Richter dazwischen. Nun etwas Sonnenschein, nun das Silber eines Springbrunnens und jetzt das Rokokoschlößchen, verschnörkelt, überladen, die Fassaden voller Putten, Götter, Nymphen, reichlich kitschig.
REGISSEUR: Das Schlößchen, in welchem nun der Mann und der schäbige, hinkende Polizist verschwinden.
SCHRIFTSTELLER: Die hohen verrosteten Türflügel des Hauptportals haben sie offen gelassen.
REGISSEUR: Folgen wir ihnen.
SCHRIFTSTELLER: Eine steinerne Treppe, ausgehöhlt von den unzähligen Tritten der Schuldigen, die über sie stiegen, weite Wände mit verblaßten, schnörkelhaften Fresken, leere Korridore, in denen sinnlos unsere Schritte verhallen, der Gerichtssaal endlich mit der verwitterten Statue der Gerechtigkeit.
REGISSEUR: Leer. Alles leer. Keine Richter, kein Angeklagter, nur ein Fenster, das auf und zu klappt im Wind, mit verstaubten Scheiben.
SCHRIFTSTELLER: Wo wir auch suchen, wohin wir auch gehen, in diesen Gängen und Sälen voll Gips, zerschlissenen Tapeten und morschen Böden, alles leer.
REGISSEUR *wütend:* Und damit soll ich mich zufrieden geben?
SCHRIFTSTELLER: Damit *müssen* wir uns zufrieden geben.

DER PROZESS

UM DES ESELS SCHATTEN

[NACH WIELAND – ABER NICHT SEHR]

DIE STIMMEN

Struthion, Zahnarzt
Anthrax, Eseltreiber
Krobyle, seine Frau
Philippides, Stadtrichter
Miltias, Assessor
Physignatus,
Advokat von Struthion
Polyphonus,
Advokat von Anthrax
Peleias, Putzmacherin,
Geliebte des Mastax
Mastax, Helmschmied,
Bruder des Tiphys
Tiphys, Kapitän
Iris, seine Braut
Strobylus, Oberpriester,
Protektor von Anthrax
Telesia, Liebkind des Strobylus,
heilige Jungfrau
Agathyrsus, Erzpriester,
Protektor von Struthion
Vorsitzender
des Tierschutzvereins
Vorsitzender
des Fremdenverkehrsvereins

Direktor der Marmor AG.
Agitator
Hypsiboas, Senatspräsident
Pfrieme, Zunftmeister
Thykidides, Waffendirektor
1. Mann, Abgesandter
der Schattenpartei
2. Mann, Abgesandter
der Eselspartei
Feuerwächter
Der Esel
Feuerwehrhauptmann Pyrops
Feldweibel Polyphem
Feldweibel Perseus
Bettler
Buchhändler
Ausrufer
Verkäuferin
1. Richter
2. Richter
3. Richter
4. Richter
5. Richter

Von Wieland übernommen sind Teile der Dialoge auf den Seiten 44, 45, 46, 47, 48, 49, 50, sowie die Rede des Miltias auf Seite 69, die aus der indirekten in die direkte Rede übersetzt wurde. Das Lied des Tiphys stammt von Bert Brecht.

STRUTHION: Ich bin Struthion, der Zahnarzt. Mit mir fängt dieser verfluchte Fall an. Er hat mich vollkommen ruiniert. Vollkommen, sage ich. Haus, Praxis, Ehe, Vermögen, alles. Dabei bin ich unschuldig, vollkommen unschuldig! Ich habe nur einen Fehler begangen, das gebe ich ohne weiteres zu: ich bin in Megara geboren und in dieses lausige, thrazische Nest Abdera ausgewandert. Wer geht schon nach Abdera, fragen Sie mich. Ich mich auch. Abdera ist eine Katastrophe! Zehntausend Einwohner – schweigen wir von ihnen. Tausend schlechtgebaute Lehmhäuser – jetzt sind ja die meisten abgebrannt. Schmutzige Gassen, in der Umgebung nichts als Sümpfe, mit nichts als Fröschen – reden wir nicht davon, mir ist ganz schwindlig vor Fröschen. Kurz gesagt: Alles tiefste Provinz. Tempel gibt es zwei. Im einen verehrt man die Latona, eine Göttin, die einst Bauern in Frösche verwandelte, und im andern den Jason, irgend so einen Halbgott, der zwei mächtige Stiere getötet haben soll: auch das ist typisch. Und hier bin ich Zahnarzt! Aber ich will gar nicht mehr davon reden. Ich will davon reden, wie ich eines Morgens – es war vorigen Sommer – dringend nach Gerania gehen mußte, drei Tagreisen von hier. Dem Direktor der dortigen Sklavenimportgesellschaft schmerzte der linke obere Weisheitszahn. Ich verfluche seitdem die Weisheitszähne. Ich mache mich also auf den Weg. Vorher hatte ich nichts genossen als etwas kalten Truthahn und ein Ei. Noch ein Glas Roten, das gebe ich zu. Meine Eselin, die ich sonst zu reiten pflegte, hatte am Vorabend ein Füllen geworfen. Ich gehe deshalb früh am Morgen auf den Marktplatz, der wie immer von Bettlern, Ausrufern und Verkäufern wimmelt, zu einem Eseltreiber, um mir einen Esel zu mieten.

Man hört seine Schritte.

BETTLER: Ein Almosen, Herr Struthion, ein kleines, sauberes Almosen!

VERKÄUFERIN: Pflaumen, frische Pflaumen, die ersten Pflaumen!
AUSRUFER: Die Athener landen in Sizilien!
Wendung im peloponnesischen Krieg!
ANTHRAX: Auf dem Marktplatz angelangt, kam der Herr Zahnarzt Struthion zu mir, dem Eseltreiber Anthrax. Auch mir wirft man jetzt vor, ich sei schuld an dem Brand. So ein Blödsinn! Ausgerechnet ich, der Patriot, der ich immer sage: Nichts über Abdera, nichts über Thrazien? Natürlich war er mir nicht sympathisch, dieser Zahnzieher, wie er da quer über den Marktplatz auf mich zukam wie ein rollendes Faß; kein Wunder, schließlich stammt er aus Megara, dort haben sie ja die Plattfüße erfunden. Haben Sie schon einmal einen aus Megara gesehen, der Ihnen sympathisch war? Na also. Ich auch nicht. Nach Wein hat er auch gestunken, und nicht nur nach einem Glas Roten, sondern nach einer Flasche, das konnte ich ganz deutlich an seinem Atem feststellen. Was das einem als Proletarier für einen Eindruck macht, wenn man wie ich nichts als Hirsebrei mit Knoblauch zu essen kriegt das ganze Jahr, können Sie sich denken. Dabei hat man diesen Zahnarzt aus Griechenland noch nie in einem Tempel gesehen, ein ganz stockfinsterer Atheist; sogar eine Badewanne soll er bei sich zu Hause haben, dieser Heide!
STRUTHION: Ich miete mir also vom Treiber Anthrax einen Esel, um Popopolis zu erreichen, die erste Station auf dem Wege nach Gerania. Einen nicht schlechten Esel, muß ich sagen, nicht ungepflegt und gut gestriegelt. Ich sitze also auf, der Eseltreiber hinterher. Es geht durch die schmutzigen Gassen, am Rathaus vorbei, am Theater vorbei, an der Sporthalle vorbei, durch das untere Burgtor hindurch und durch das obere wieder hinaus, und schon sind wir in den Sümpfen.

Man hört die Frösche quaken, den Esel klappern, Anthrax gehen.

ANTHRAX: Da trotte ich neben den beiden. Neben dem Esel und neben dem Zahnarzt, der auf dem Esel sitzt. Ich gehe zu Fuß, wie immer. Die heiligen Frösche quaken, auch wie immer. Ich verbeuge mich, gegen den Osten, gegen den Westen, gegen Nord und Süden. Der Zahnarzt verzieht keine Miene. So ein Atheist, so ein Heide! Wir verlassen die heiligen Sümpfe und erreichen die große Ebene.
STRUTHION *stöhnt*: Verflucht! Diese enorme Hitze! Die Ebene zwischen Abdera und Gerania ist geradezu berühmt in dieser Hinsicht. Das Volk nennt sie ja auch die Hitzschlag-Ebene. Und ich reite, reite, reite. Manchmal steht der Esel still, dann geht er weiter, dann steht er wieder still – und hinter uns der Eseltreiber, stinkend von Knoblauch. Ich reite. Die Sonne steigt immer höher. Ich reite. Eine Stunde. Kein Baum, kein Strauch, nichts, nur Ebene, nur verdorrtes Gras und Grillen, Schwärme von Grillen. – So eine Ebene ist nur in Thrazien möglich. Es wird mir ganz schwindlig, die Sonne ein feuersprühendes Rad über Esel und Mensch. Endlich wird es mir zu dumm. Ich steige vom Esel und setze mich in dessen Schatten. Da glotzt mich der Kerl von einem Eseltreiber an und was jetzt geschieht, hätte ich nie für möglich gehalten. Ich traue meinen Ohren nicht.
ANTHRAX: Nu, Herr, was macht Ihr da? Was soll das?
STRUTHION: Was geht es dich an, Kerl? Ich setze mich ein wenig in den Schatten deines Esels. Die Sonne scheint, daß ich ganz ohnmächtig werde.
ANTHRAX: Nö, mein guter Herr, so haben wir nicht gehandelt! Ich vermietete Euch den Esel, aber vom Schatten haben wir kein Wort gesprochen.
STRUTHION: Bist du verrückt, Kerl? Der Schatten geht mit dem Esel, das versteht sich. Ich habe beide gemietet, als ich den Esel mietete.
ANTHRAX: Bei den heiligen Fröschen! Das versteht sich nicht. Eines ist der Esel und das andere sein Schatten. Ihr

habt mir den Esel um zehn Kupfermünzen abgemietet. Hättet Ihr den Schatten auch dazu mieten wollen, so hättet Ihr's sagen müssen. Mit einem Wort, Herr, steht auf und setzt Eure Reise fort, oder bezahlt mir für den Schatten, was billig ist.

STRUTHION: Was? Ich habe für den Esel bezahlt und soll jetzt auch noch für seinen Schatten zahlen? Nenne mich selbst einen dreifachen Esel, wenn ich das tue! Der Esel ist für diesen ganzen Tag mein, und ich will mich in seinen Schatten setzen, so oft mir's beliebt, und darin sitzen bleiben, so lang mir's beliebt, darauf kannst du dich verlassen!

ANTHRAX: Ist das im Ernst Eure Meinung?

STRUTHION: In ganzem Ernst.

ANTHRAX: So komm der Herr nur gleich wieder nach Abdera zurück vor den Stadtrichter. Da wollen wir sehen, wer von uns beiden recht behalten wird. So wahr die heiligen Frösche mir und meinem Esel gnädig sind, ich will sehen, wer mir den Schatten meines Esels wider meinen Willen abtrotzen soll!

STRUTHION: Was konnte ich da machen! Dazu also bin ich aus Megara nach Abdera ausgewandert! Das kann mir wirklich nur in Thrazien passieren! Zuerst hatte ich große Lust, den Eseltreiber durchzuprügeln, doch habe ich mir dann den Mann besehen: Einen Meter neunzig und zweimal breiter als sein Esel, es blieb mir also nichts anderes übrig, als den Weisheitszahn im Stich zu lassen und nach Abdera zurückzukehren zum Stadtrichter Philippides.

PHILIPPIDES: Na schön. Da kamen die beiden also zu mir, dem Stadtrichter Philippides. Ich sitze im Gerichtsgebäude, so gegen elf, und höre sie schon von weitem schreien.

STRUTHION: Betrüger! Du ruinierst meine Praxis!

ANTHRAX: Ausbeuter! Sie wollen mich armen Kerl bis zum Hemd ausplündern!

PHILIPPIDES: Na, denke ich, schreit nur, dafür bin ich ja

Stadtrichter. Schon seit zwanzig Jahren. Na, denke ich, lassen wir die beiden nur hereinkommen, wenn keine Advokaten herumschleichen, gibt es bei mir einen guten Frieden. Ich bin überhaupt immer für den Frieden. Dazu bin ich da, daß ich für den Frieden bin. Noch jeder, den ich so schreien hörte, schien mir recht zu haben. Kommt ein Reicher zu mir mit einem Dieb, hör ich zuerst dem Reichen zu. Natürlich, der Reiche hat recht, was man besitzt, besitzt man. Man soll nicht stehlen. Dann höre ich den Dieb. Na, denke ich, auch er hat recht, denn man soll nicht hungern. Der Mensch hat Brot nötig. So gibt es ein Recht des Reichen und ein Recht des Armen. Soll ich da Partei ergreifen? Darum bin ich für den Frieden, damit jeder sein Recht habe. Das sage ich, der Stadtrichter von Abdera. Frieden müssen alle haben. Ohne Frieden geht es nicht. Na, denke ich, da kommen die beiden Schreihälse schon. Es ist der Zahnarzt Struthion und der Eseltreiber Anthrax, ich kenne sie alle beide. In Abdera kennt jeder jeden. Ich schaue zuerst den Zahnarzt an und dann den Eseltreiber, dann noch einmal den Eseltreiber, und dann wieder den Zahnarzt. Wer von euch beiden ist eigentlich der Kläger? frage ich.

STRUTHION: Ich klage gegen den Eseltreiber, daß er unseren Kontrakt gebrochen hat.

ANTHRAX: Und ich klage gegen den Zahnarzt, daß er sich in den Besitz eines Schattens setzen will, den er nicht gemietet hat.

PHILIPPIDES: Da haben wir also zwei Kläger. Und wo ist der Beklagte? Ein kurioser Handel. Na, erzählt mir die Sache noch einmal mit allen Umständen – aber einer nach dem andern – denn es ist unmöglich, klug daraus zu werden, wenn beide zugleich schreien.

STRUTHION: Hochgeachteter Herr Stadtrichter! Ich, der Zahnarzt Struthion, habe diesem Eseltreiber den Gebrauch des Esels auf einen Tag abgemietet. Es ist wahr, über den

Schatten des Esels haben wir nichts abgemacht. Aber wer hat auch jemals gehört, daß bei solcher Miete eine Klausel wegen eines Schattens wäre eingeschaltet worden? Es ist ja, beim Herkules, nicht der erste Esel, der zu Abdera vermietet wird.

PHILIPPIDES: Da hat der Zahnarzt recht.

STRUTHION: Der Esel und sein Schatten gehen miteinander, Herr Stadtrichter, und warum sollte der, der den Esel gemietet hat, nicht auch das Anrecht auf seinen Schatten haben?

PHILIPPIDES: Wahr. Und du, Eseltreiber, was hast du vorzubringen?

ANTHRAX: Gestrenger Herr, ich bin nur ein gemeiner Mann, aber das geben mir meine fünf Sinne ein, daß ich nicht schuldig bin, meinen Esel umsonst in der Sonne stehen zu lassen, damit sich ein anderer in seinen Schatten setze. Ich habe dem Herrn den Esel vermietet und er hat mir die Hälfte vorausbezahlt, das gestehe ich. Aber ein anderes ist der Esel und ein anderes sein Schatten.

PHILIPPIDES: Auch wahr.

ANTHRAX: Will er den Schatten haben, so mag er halb so viel bezahlen als für den Esel selbst, denn ich verlange nichts als was billig ist, und ich bitte, mir zu meinem Recht zu verhelfen.

PHILIPPIDES: Das Beste, was ihr tun könnt, ist, euch in Güte miteinander abzufinden. Ihr, ehrlicher Anthrax, laßt immerhin des Esels Schatten, weil's doch nur ein Schatten ist, mit der Miete gehen; und Ihr, Herr Struthion, gebt ihm drei Kupfermünzen dafür, so können beide Teile zufrieden sein. Der Friede ist immer das beste.

STRUTHION: Ich gebe diesem verlausten Eseltreiber nicht eine Kupfermünze! Ich will mein Recht!

ANTHRAX: Und ich das meine!

PHILIPPIDES: Na, denke ich, da schreien sie wieder und lasse sie schreien, man soll sich nicht in Dinge einmischen, die sich von selbst erledigen. Ich wische mir den Schweiß ab, sie schreien weiter, ich schneuze, sie schreien weiter. Da plötzlich klappen sie ihre Mäuler zu, beide zugleich. Totenstille. Wo ist denn der Esel? frage ich.

ANTHRAX: Auf der Gasse vor der Tür, gestrenger Herr.

PHILIPPIDES: Ich lasse ihn hereinführen, den Esel. Da kommt er, ein graues, trauriges, schwerfälliges Vieh, bleibt stehen, stellt die Ohren, i-aht, schaut erst den Eseltreiber, dann den Zahnarzt, endlich mich an, schüttelt den Kopf, läßt ihn resigniert sinken. Na, denke ich, dich kann ich begreifen, die menschliche Dummheit ist zum Weinen. Jetzt fängt der Eseltreiber wieder zu schreien an.

ANTHRAX: Da seht Ihr nun selbst, gnädiger Herr Stadtrichter, ob der Schatten eines so schönen stattlichen Esels nicht seine fünf Kupfermünzen unter Brüdern wert ist, zumal an einem so heißen Tage wie der heutige.

PHILIPPIDES: Du bestehst also darauf, für den Schatten fünf Kupfermünzen zu bekommen?

ANTHRAX: Bei den heiligen Fröschen! Da gibt's kein Zurück! Da kenne ich keine Flausen!

PHILIPPIDES: Gut, Eseltreiber. Dann muß ich einen Gerichtstag ansetzen. Führ den Esel in den Hof, Gerichtsdiener. Er bleibt bis zur Entscheidung des Gerichts bei uns interniert.

ANTHRAX: Gestrenger Herr, das könnt Ihr doch nicht tun!

PHILIPPIDES: Es geht nicht anders. Die Gerechtigkeit ist streng. Der Esel ist das Objekt eines Rechtshandels und muß hierbleiben.

ANTHRAX: Ich lebe doch vom Esel!

PHILIPPIDES: Siehst du, Eseltreiber, das kommt, weil man den Frieden nicht will und der Friede ist doch das Wichtigste. Wenn Krieg ist mit den Mazedonen, kannst du deinen Beruf auch nicht ausüben, du mußt den Esel der Armee abliefern, und wenn du einen Prozeß willst, mußt du ihn dem Gericht abliefern. Gibst du jetzt nach? Na,

Zahnarzt Struthion, Ihr zahlt dem Eseltreiber vier Kupfermünzen, um Euren guten Willen zu beweisen, und du, Eseltreiber, nimmst sie an. Dann setzt eure Reise nach Gerania schleunigst fort, der arme Kerl kommt sonst um vor Zahnschmerzen.

STRUTHION: Ich weiß nicht.

ANTHRAX: Nu, Herr Stadtrichter.

PHILIPPIDES: Na, denke ich, die habe ich bald weich, ich dränge weiter, rede ihnen zu, einen guten Grund um den andern bringe ich ihnen vor, schon wollen sie nachgeben, kratzen sich hinter den Ohren – da kommen leider die Advokaten Physignatus und Polyphonus vorbei, zwei Geiern nicht unähnlich, in ihren gelben Mänteln und mit ihren langen Hälsen.

PHYSIGNATUS: Haben Sie das gehört? Da kamen leider Physignatus und Polyphonus vorbei, die Advokaten. Leider, das ist das Wort, das zu brauchen man nötig findet. Nun, ich will hier meinen Kollegen, Polyphonus, nicht in Schutz nehmen, es ist mir unverständlich, wie man sich als Mitglied der Juristenkammer Abderas auf die Seite des Eseltreibers stellen kann – es ist mir unverständlich, sage ich – aber mich des Zahnarztes Struthion anzunehmen, war nun doch wohl meine heiligste Pflicht. Um was ging es denn im Grunde in diesem Prozeß, der nun auf eine so fürchterliche Weise ein Ende nahm? Es ging um eine saubere Rechtssprechung und um nichts anderes! Man wirft mir vor, ich hätte aus Geldgier den Prozeß betrieben. Geht es ums Geld, wenn es um das Recht selber geht? Nein, dieser Prozeß ging gegen die ewige Arroganz, die immer wieder versucht, das klar definierte Recht zu umgehen und einen Zustand der Rechtslosigkeit für ihre dunklen Ziele zu erreichen.

POLYPHONUS: Es ging in diesem Prozeß, darin hat Physignatus recht, um die Justiz selbst. Aber nun muß ich, Polyphonus, doch fragen: Was ist denn das Recht? Gewiß,

Physignatus hat in Athen studiert, in Syrakus, in Mykene, und ich nur in Pella, zugegeben, aber dennoch: Ist das Recht nicht so sehr Wissen als vielmehr ein lebendiges Gefühl? Ich weiß, man hat mir alle möglichen Beweggründe zugeschrieben, um meinen Einstand für den Eseltreiber Anthrax in den Schmutz zu ziehen. Ein bekannter Publizist schrieb sogar, ich hätte einen Seitenblick auf den Esel geworfen, der mir ein hübsches wohlgenährtes Tier zu sein schien. Das ist eine gemeine Verleumdung! Denn was ist der eigentliche, wahre Grund? Nichts anderes als die Tatsache, daß aus dem Volke selbst, aus seiner Mitte, aus dem Munde eines seiner geringsten ein neuer Rechtsgrundsatz entstieg, aus der Not, aus dem Schmutz, aus dem Elend heraus. Ein neuer Rechtsgrundsatz, sage ich, denn warum sollen all diese Unbemittelten nicht das Recht auf ihren Schatten haben? Sollen wir diese Stimme nicht frei von allen Vorurteilen als das zu vernehmen suchen, was sie ist, als die Stimme des Rechtes selbst? So ließ ich denn den Esel, dem Verlangen des Stadtrichters Philippides gemäß, im Gerichtsgebäude einstellen und ging mit Anthrax hinaus auf den Marktplatz, in die immer noch heiße Sonne.

VERKÄUFERIN: Aprikosen, frische Aprikosen, die ersten Aprikosen!
AUSRUFER: Die Athener klagen ihren Admiral Alkibiades an! Sensation im peloponnesischen Krieg!
VERKÄUFERIN: Persische Wolle, beste persische Wolle!
POLYPHONUS: Kopf hoch, Eseltreiber Anthrax! Dein Esel ist zwar interniert, aber alles in allem wirst du mit diesem Prozeß zwölf Drachmen verdienen.
ANTHRAX: Zwölf Drachmen? Bei den Fröschen, Herr Polyphonus, zwölf Drachmen! Mich trifft der Schlag!
POLYPHONUS: Zwölf Drachmen.
ANTHRAX: Zwölf Drachmen. Ich kann mir drei neue Esel

damit anschaffen. Gute mazedonische Tiere. Ich werde der erste und schnellste Eseltreiber in Abdera.

POLYPHONUS: Es wird nicht leicht sein, den Prozeß zu gewinnen, Eseltreiber Anthrax. Ich muß darauf bestehen, daß du in diesem Punkt klar siehst. Es kommt nicht nur auf mich an. Vor allem ist es wichtig, daß du ein sauberes, ehrbares Leben führst, Eseltreiber. Die Augen der Stadt sind jetzt auf dich gerichtet. Man sagt zum Beispiel von dir, du seiest hin und wieder betrunken.

ANTHRAX: Aber Herr Polyphonus!

POLYPHONUS: Gestern sah ich dich über die Jasonstraße torkeln, gerade aus der Schenke des Leonidas.

ANTHRAX: Ein Pflaumenschnäpschen, lieber Herr, hin und wieder ein Pflaumenschnäpschen.

POLYPHONUS: Das hat aufzuhören. Strengste Enthaltsamkeit. Auch deine Frau zu prügeln, hat nicht mehr stattzufinden. – So können wir den Frauenverein für uns gewinnen.

ANTHRAX: Aber lieber Herr Polyphonus...

POLYPHONUS: Kein Aber. Keine Widerrede. Es gilt jetzt den Glauben an das Volk zu wecken. Du bist jetzt das Volk. Ein bloßer Eselsschatten genügt nicht, da kümmert sich keine Seele darum.

ANTHRAX: Ich bin doch nur einer, Herr Polyphonus, und das Volk ist gleich eine ganze Menge.

POLYPHONUS: Du bist der, auf den es ankommt. Ein General ist auch nicht die Armee, aber er ist der Wichtigste. Ohne ihn geht der Krieg todsicher verloren. So ein General bist du jetzt, Eseltreiber Anthrax, ein General der Tugend, ein General der guten Ehre, ein General der Abstinenz. Mein Honorar beträgt vier Drachmen, laut dem Statut der Juristenkammer. Honorar für Minderbemittelte. Es ist innerhalb der nächsten drei Tage zu bezahlen.

ANTHRAX: Vier Drachmen, Herr Polyphonus? Bei den Fröschen! Dann kann ich mir ja nur zwei Esel kaufen!

POLYPHONUS: Du verdienst schließlich zwölf Drachmen im ganzen. Ich kann im Punkte der Honorierung leider keine Ausnahme machen, ich muß mich da streng an die Vorschriften halten. Kopf hoch, Anthrax. Ich muß nun in die Apollogasse einbiegen zum Rentner Pamphus.

PHYSIGNATUS: Unterdessen, während mein Kollege Polyphonus mit dem Eseltreiber den Marktplatz überquert, gehe ich mit dem Zahnarzt Struthion durch die Demokritstraße gegen das Villenviertel. Es ist wirklich fürchterlich heiß, wir gehen deshalb auf der Schattenseite der Straße. Nun, sage ich, Herr Struthion, am Prozeß werden Sie nichts zu gewinnen haben, vier Drachmen alles in allem.

STRUTHION: Es geht mir um das Recht, Herr Physignatus. Wieviel beträgt Ihr Honorar?

PHYSIGNATUS: Vierzig Drachmen. Laut Statuten der Juristenkammer für die erste Steuerklasse, Herr Struthion. Ein Vorschuß von zwanzig Drachmen ist innerhalb der nächsten drei Tage zu leisten.

STRUTHION: Hm. Die Reise nach Gerania kommt teuer. Aber Sie werden Ihr Honorar und den Vorschuß erhalten, Herr Physignatus. Für das Prinzipielle ist kein Opfer zu hoch. Ich bin Wissenschaftler, und wie mir einst mein Lehrer Pythagoras sagte –

ANTHRAX: So. Ein Wissenschaftler nennt sich dieser schmierige Zahnarzt. Ein schöner Wissenschaftler, der nicht einmal mehr an die Frösche glaubt und dabei kann jeder sie hören. Verschwinde er in seinem Villenviertel, ich meinerseits biege in die Jasontraße ein. Zwölf Drachmen weniger vier Drachmen, sind zwei Esel! Ein gutes Geschäft, ein schönes Geschäft. Da steht der Leonidas vor der Türe seiner Schenke. Rein zu den Pflaumenschnäpsen, es sieht mich kein Mensch! Nein, halte dich gerade, Anthrax! Geh nicht in die Schenke, guck nicht einmal hin. Nicht in die Schenke, nicht in die Schenke, acht Drach-

men verdienen, guten Eindruck machen, seriösen Gesichtsausdruck, nicht schnalzen. Bin jetzt doch ein Generalfeldmarschall der Tugend! ... Da kommt mein Keller. Natürlich wieder nasse Wäsche direkt vor dem Eingang. Beherrsche dich, Anthrax, da ist mein Weib. Nicht prügeln, freundliches Gesicht machen, von jetzt ab wird Musterehe geführt, daß sich die Balken biegen. Denk an die acht Drachmen, an die zwei Esel aus Mazedonien. Grüß dich tausendmal, Krobyle, mein Weib.
KROBYLE: Der Hirsebrei ist fertig, Mann, und der Knoblauch auch. Wo hast du deinen Esel?
ANTHRAX: Eingestellt, Frau, eingestellt. Bald wirst du nicht mehr fragen: Wo ist dein Esel, du wirst fragen: Wo sind deine drei Esel, der alte und die zwei mazedonischen. Es gilt, ein Geschäft zu machen, Frau: acht Drachmen.
KROBYLE: Acht Drachmen?
ANTHRAX: Da staunst du, Alte, he?
KROBYLE: Du bist ja betrunken!
ANTHRAX: Nein, ich bin nicht betrunken und prügle dich auch nicht. Ich bin tugendhaft geworden, Frau, denn ich bin jetzt das Volk. Da, einen Kuß auf die Backe, geliebte Hexe! Die Betten heraus, Frau, und die Möbel, sie sind aus Kirschbaum, wir müssen sie zur Pfandleih bringen.
KROBYLE: He?
ANTHRAX: Was he? Vier Drachmen als Honorar für den Advokaten Polyphonus, Krobyle, angetraute Pestbeule! Ich verdiene acht, er vier, macht zusammen zwölf Drachmen. Und für was, Alte? Da kommst du nie darauf. Für einen lumpigen Schatten, für den Schatten von meinem braven Esel!
KROBYLE: Bei den heiligen Göttern! Jetzt ist mein Mann verrückt geworden.
ANTHRAX: Der Zahnarzt ist verrückt geworden, Frau, der sich in den prächtigen Schatten meines gesunden Esels setzen wollte, ohne zu zahlen. In der prallen Sonne. Sind

das solide Geschäftsmethoden in Abdera? So kommt man mir nicht, mir, dem Volk! Jetzt gibt es eben einen Prozeß, daß sich die Götter verkriechen! Die Betten heraus. Es ist Sommer, da können wir gut auf dem Fußboden schlafen!
KROBYLE: Da stehe ich armes Weib, Krobyle, Tochter des Schuhmachers Anomalos und der Hebamme Hebe, vor meinem Topf weichgekochter Hirse und höre mir die Unglücksgeschichte an, die mir mein Mann, der Eseltreiber Anthrax, Sohn des Sklaven Hydor und der Kuhmagd Persephone, da erzählt. Von diesem Mann ließ ich mich zur Ehe beschwatzen! Und dabei hatte doch der Berufsboxer Kêtos einen Blick auf mich geworfen! ... Da verkauft er nun unsere Möbel und unsere Betten und läßt den Esel beim Gericht, sein einziger Verdienst. Ein Eseltreiber, der mit einem Zahnarzt einen Prozeß führt. Aussichtslos. Der ist mit einem Advokat allein nie zu gewinnen. Ein Eseltreiber bleibt ein Eseltreiber, da kann der beste Fürsprecher nichts machen, ich kenne die Welt. Und die Tugend schafft es auch nicht – ich kenne die Tugend. Die hält nie lange, wenn man kein Geld hat. Bei mir nicht und bei Anthrax nicht. Da muß man schon was Höheres dafür interessieren, was Geistiges, so eine richtige Portion Religion, einen soliden Priester, wir gehören doch zum Tempelbezirk der Latona. Die muß her mitsamt ihren Fröschen. Ich kenne mich in den Priestern aus, meine Mutter war doch mit einem beinahe verheiratet. Je höher man greift, desto besser. Mann, sage ich, Anthrax, wir müssen den Oberpriester Strobylus persönlich dafür interessieren, sonst bleiben deine Esel da, wo sie jetzt sind: in deinem Hirn.
ANTHRAX: Du bist nicht gescheit, Krobyle. Wie willst du das machen? Ein Oberpriester hat sich noch nie um die Sorgen eines Eseltreibers interessiert.
KROBYLE: Ganz einfach: Meine Freundin Peleias, die Putzmacherin, kennt einen Helmschmied namens Mastax,

der sie heiraten will, aber sie will nicht, von wegen dem Gastwirt Kolon, der ihr so zuredet, weil seine Frau gestorben ist. Aber der Mastax hat einen Bruder, der ist ein Kapitän und mit der Iris verlobt, du kennst sie doch, die dicke Blonde.

ANTHRAX: Die Iris geht mich nichts an.

KROBYLE: Dummkopf! Sie ist doch Köchin bei der Tänzerin Telesia!

ANTHRAX: Was zum Teufel hat die Tänzerin Telesia mit meinem Prozeß zu tun?

KROBYLE: Mann! Hast du denn keinen Verstand! Die Tänzerin geht doch oft in der Nacht zum Oberpriester Strobylus, um ihm vorzutanzen. Das weiß doch jedes Kind!

ANTHRAX: Beleidige den Oberpriester der Frösche nicht. Weib! Er ist ein Heiliger! An die Religion lasse ich nichts kommen, ich bin ein frommer Mann!

KROBYLE: Natürlich ist er ein Heiliger! Aber Heilige sind doch auch Menschen! Außerdem tanzt ihm die Telesia ja nicht einmal eigentlich vor, sie steht nur so als Statue da und macht die Bildsäulen der Artemis und der Aphrodite nach, die in den Tempeln stehn.

ANTHRAX: Ach so. Das ist etwas ganz anderes. Das sind mehr naturwissenschaftliche Studien, oder wie man so sagt. Aber was soll das alles?

KROBYLE: Ganz einfach. Ich rede mit der Putzmacherin, die mit dem Helmschmied, der mit der Iris, die mit der Tänzerin und die mit dem Oberpriester. Das müssen wir tun, Anthrax, denn ich kenne die Frau vom Zahnarzt Struthion, ich habe mal bei ihr gewaschen, die wird zu allen Richtern gehen, und du hast das Nachsehen, wenn wir nicht vorsorgen. Der Oberpriester, der ist richtig. Der wird dir zu deinen acht Drachmen verhelfen, ich kenne die Religion, wir wohnen doch schließlich im Tempelbezirk der Latona.

POLYPHONUS: Ich stelle fest, die fünf Richter, welche dem verbrecherischen Antrag des Miltias zugestimmt haben, sind Anhänger des Erzpriesters Agathyrsus. Sie sind mit ihm letzten Montag, anläßlich einer Sitzung des parlamentarischen Ausschusses für Kultusfragen, zusammengetroffen. Zeugen sind vorhanden, die feststellten und jederzeit mit den feurigsten Eiden auf die heiligen Frösche zu bestätigen bereit sind, daß diese fünf Richter sich mit dem Erzpriester Agathyrsus in ein Sonderkabinett zurückzogen. Warum mit dem Erzpriester diese geheimnisvolle Beratung? Gibt es eine Beziehung zwischen Agathyrsus und dem Zahnarzt Struthion? Es gibt diese Beziehung!

Bewegung.

POLYPHONUS: Erbleiche, Republik Abdera! Die Mörder stehen mit gezückten Dolchen hinter dir! Der erste deines Adels, der erste deiner Priester, samt fünf deiner Richter, sind mit einem zahnzieherischen Ausländer aus Megara einen Pakt eingegangen, der sich nur gegen dein Leben richten kann!

PHILIPPIDES *mit der Glocke:* Zur Sache!

POLYPHONUS: Ich komme zur Sache, Richter Philippides: Denn, Cloe Struthion, sich somit als eine der verhängnisvollsten Verführerinnen unserer Geschichte enthüllend, eine zweite Medea gleichsam, ging zwei Tage vorher, in einer Samstagnacht, ebenfalls zwischen elf und ein Uhr, zu ungewöhnlicher Zeit also, in den Jasontempel. Wen traf sie dort, Erzpriester Agathyrsus? Das Volk Abderas hat ein Recht auf eine Antwort!

STRUTHION: Nein! Nein! Lüge! Alles Lüge!

PHILIPPIDES: Ruhe! Gerichtsdiener, halte den Zahnarzt Struthion zurück!

PHYSIGNATUS: Meine Herren!

PHILIPPIDES *schwingt die Glocke:* Ruhe! Der Advokat Physignatus verlangt das Wort.

PHYSIGNATUS: Hochansehnliches Gericht. Tollkühn, ihr

Richter, ist es, an dieser Stelle, in diesem alten, ruhmbedeckten Gerichtsgebäude, angesichts der Statue der Gerechtigkeit, der wir alle dienen, überhaupt noch ein Wort zu sprechen, zu reden und nicht zu handeln. Eilt, ehrwürdige Richter, eilt, holt den Erzpriester Agathyrsus herbei mit seiner ganzen Priesterschar, mit allen seinen heiligen Jungfrauen, eilt, bittet ihn auf den Knien, zu kommen, damit er dieses von Polyphonus so schändlich besudelte Gebäude wieder reinige.

Bewegung.

PHYSIGNATUS: Meine Richter, ehrwürdige Väter! Was ist das Entsetzliche, das uns erschauern läßt, das alle zivilisierten Menschen zwingt, sich grauenerfüllt von dieser Stadt abzuwenden? Cloe Struthion, eine unserer ehrbaren, züchtigen Hausfrauen, vermählt mit dem Zahnarzt Struthion, der ersten Kapazität in der Zahnheilkunde Thraziens, Tochter des Obersten Stilbon, ging vorgestern nacht zwischen elf und ein Uhr zu Miltias. Gut, das ist eine Tatsache. Ferner stellte Polyphonus in seinem Eifer fest, daß ebendieselbe Frau, deren Mann ihr hier nun zusammengebrochen auf seinem Platze sitzen seht, auch den Erzpriester Agathyrsus in der Nacht besuchte. Gewiß, zu ungewöhnlicher Stunde, aber bei der Heiligkeit unserer Ideale –

PHYLIPPIDES: Zur Sache!

PHYSIGNATUS: Darf man denn die Schlüsse ziehen, die Polyphonus zieht? Nein! Sind unsere Mütter, unsere Gattinnen, unsere Töchter nicht über jeden, ich sage, jeden Verdacht erhaben, auch wenn sie zu einer noch späteren Stunde zum Erzpriester gehen? Abdera stürzt in sich zusammen, ehrwürdige Väter, wenn wir die Reinheit, die Unantastbarkeit unserer Ehefrauen in Zweifel ziehen. Wen wird Polyphonus noch verdächtigen, wenn wir ihn gewähren lassen? Wen wird er noch in den Schmutz der Straße ziehen? Uns alle... Polyphonus hat festgestellt, daß am Montag die Sitzung des Kultusausschusses stattfand. Aber nicht nur Agathyrsus war zugegen, ehrwürdige Väter, sondern auch der Oberpriester der Latona, Strobylus. Es ist erwiesen, daß er sich mit jenen fünf Richtern, die für den Eseltreiber stimmten, ebenfalls in ein Seitenkabinett zurückzog. Was hat nun der Oberpriester der Latona mit einem ewig betrunkenen Eseltreiber zu schaffen, mit einem Eseltreiber ...

ERSTER RICHTER: Er trinkt nicht mehr!

PHILIPPIDES: Ruhe! *Er läutet mit der Glocke.*

PHYSIGNATUS: Er trank und wird wieder trinken. Wir lassen uns auf diese Advokatenkomödie eines plötzlich tugendhaften Säufers gar nicht ein. Nichts kann uns hindern, zu fragen: Mit wem verkehrt Strobylus? Wer geht mitternachts zu ihm? Wen sehen die empörten Bürger im erleuchteten Fenster seines Arbeitszimmers, leichtbekleidet Pantomimen darstellend? Die Tänzerin Telesia aus Milet!

Bewegung.

PHYSIGNATUS: Was hat diese von einem megärischen Vorstadtkabarett zur Solotänzerin unseres Stadttheaters avancierte Person mit dem nach Knoblauch stinkenden Eseltreiber Anthrax zu tun, forschen wir weiter, Glied um Glied einer verhängnisvollen, schauerlichen Kette aufdeckend. Telesias Dienstmädchen ist mit einem Kapitän verlobt, dessen Bruder, ein Waffenschmied, in dunkle Affären mit barbarischen Völkerstämmen verwickelt, eine Putzmacherin verehrt, die – damit ist über diese Frauensperson wohl genügend angedeutet – als beste Freundin jenes ewig verprügelten Geschöpfes gilt, das als Gattin des Eseltreibers Anthrax dessen Kellerhöhle bewohnt.

ERSTER RICHTER: Er prügelt nicht mehr!

PHYSIGNATUS: Er wird wieder prügeln. Nein, auch die scheinbare moralische Besserung eines brutalen Freigelassenen hindert uns nicht, den Oberpriester der Latona zu fragen: Wagen Sie diese Zusammenhänge zu bestreiten, Herr Strobylus?

ERSTER RICHTER: Skandal!

ZWEITER RICHTER: Verleumdung!

DRITTER RICHTER: Nieder mit den Konservativen der Latonahochburg!

VIERTER RICHTER: Es lebe Agathyrsus!

Riesengeschrei, Glockengeläute, immer größeres Getümmel.

Totenstille.

PHILIPPIDES: Ich, Philippides, habe es geahnt. Man blieb nicht bei der Sache. Die Ideale sind gekommen. Die Prügelei war ungeheuer. Der Eseltreiber verprügelte den Zahnarzt, der Zahnarzt den Assessor, der Assessor Polyphonus, Polyphonus Physignatus und Physignatus stülpte mir die Glocke über den Kopf, weil ich den Prozeß dem Senat überwies. Die Gerichtsdiener verprügelten den Eseltreiber, und die zehn Richter prügelten alles, was ihnen unter die Fäuste kam, und wurden von allen verprügelt! Endlich wankte jeder blutüberströmt nach Hause, ich in meine Kammer, die Richter in die Stadt, der Eseltreiber mit Polyphonus nach der Jasonstraße und der Zahnarzt Struthion mit Physignatus ins Villenviertel.

STRUTHION: Der verfluchte Direktor der Sklavenimportgesellschaft zu Gerania! Was hab ich jetzt davon, daß ihn der Weisheitszahn schmerzte! Die Hälfte meiner Kundschaft ist davongelaufen! Schon hat ein Zahntechniker aus Byzanz, ein ungebildeter Kerl, der nicht einmal ein reines Griechisch spricht, in der Storchengasse einen Laden aufgemacht, mit einem lebenden Frosch über dem Operationsstuhl! Und was ich von meiner Frau vernehme! Die Höhe, Herr Physignatus, die Höhe! Um zwölf im Jasontempel! Ich muß mich scheiden lassen, ich habe da meine Prinzipien! Am liebsten gäbe ich den Prozeß auf!

PHYSIGNATUS: Herr Zahnarzt Struthion! Die ganze Stadt

blickt nun auf Sie! Ganz Thrazien spricht von Ihnen! Wollen Sie in diesem historischen Augenblick versagen? Ihre Frau haben Sie verloren. Gewiß. Ihre halbe Praxis haben Sie drangeben müssen. Auch wahr. Aber es geht jetzt um Höheres, Herr Zahnarzt, es geht jetzt um die Ideale, um die Menschlichkeit! Noch einmal vierzig Drachmen an meine Spesen frisch gewagt und die Gegenpartei ist zerschmettert!

POLYPHONUS: Es ist deine heilige Pflicht als Proletarier und als Vertreter der arbeitenden Klassen, gegen das Unrecht zu kämpfen, das man nicht nur dir, sondern jedem Eseltreiber überhaupt angetan hat, lieber Anthrax. Mann! Deine Chancen stehen ja großartig! Noch einmal vier Drachmen und der Zahnarzt ist besiegt.

ANTHRAX: Aber ich habe ja nun kein Geld mehr, Herr Fürsprecher, jetzt, wo doch der Esel eingestellt, die Möbel und die Betten versetzt und auch die Tochter, Sie wissen, die kleine Gorgo, dem Rentner Pamphus als Sklavin verkauft ist –

POLYPHONUS: Wenn du kurz vor dem Ziel aufgeben willst, lieber Anthrax, kurz vor der Errichtung einer gut gehenden Eseltreiberei –

ANTHRAX: Werd ja schon, gnädiger Herr, werd ja schon.

POLYPHONUS: Siehst du, Mann, du bist ganz vernünftig. Das Geld muß ich bis morgen haben. Und jetzt wollen wir mal den Prozeß zum glorreichen Ende führen. Da ist ja schon die Apollogasse, lieber Mann, ich muß da einbiegen, halte dich wacker und brav, ich muß jetzt einbiegen. Verflucht, meine Nase!

ANTHRAX: Da geht er. Zum Rentner Pamphus. Und ich trotte die Jasonstraße hinunter. Vier Drachmen will er noch, vier hat er schon. Bleiben mir nur noch vier, aber das ist wenigstens noch ein Esel. Ich muß hineinbeißen, schon wegen der acht Drachmen, die ich jetzt verloren habe. Die Frau muß dran, die Krobyle, der Weinhändler

Korax nimmt sie schon. Es geht nicht anders, Anthrax. Schneuze dich, hast schon schwerere Zeiten durchgemacht damals in der Hungersnot. Da steht der Leonidas wieder vor seiner Schenke. Grüßt nicht einmal mehr. Weil ich nicht mehr trinke. Kann doch nichts dafür mit meiner Tugend und wo ich doch jetzt das Volk bin. Und hier ist auch mein Kellerloch. Nasse Wäsche ist nicht mehr davor, wir haben keine mehr. Grüß dich, Krobyle, mein Weib.

KROBYLE: Der Hirsebrei ist fertig. Knoblauch haben wir keinen mehr, Mann.

ANTHRAX: Knoblauch haben wir auch keinen mehr. Ich löffle den Brei hinunter. Ich schneuze. Frau, sage ich, es sind schlechte Zeiten. Sie brummt, die Alte, steht am Herd, wie sie das immer tut, und schaut mich an. Frau, sag ich, der Polyphonus muß noch einmal vier Drachmen haben.

KROBYLE: Wir haben nichts, Mann.

ANTHRAX: Ich löffle wieder. Dann schneuze ich wieder. Krobyle, sag ich, es geht nicht anders. Ich muß den Prozeß gewinnen wegen der Schulden. Die Tochter haben wir auch verkauft, sagte sie. Ja, sag ich, das ist nicht zu ändern. So ein Advokat will eben auch leben. Die leben gut, sagt sie. Ich löffle, noch einmal schneuzen hat keinen Sinn, ich muß raus mit der Sprache. Ich sage: Ich habe mit dem Weinhändler Korax gesprochen. Ein guter Platz für dich. Er gibt mir fünf Drachmen. Wirst es nicht streng haben. Mußt nur kochen. Er ist gutmütig, der Korax, und hat's auf dem Herz, da kann er nicht mehr prügeln und so. Ein guter Platz. Sie sagt nichts. Guckt nur in die Ecke. Bist ein braves Weib gewesen, sag ich, ein gutes, braves Weib, der Hirsebrei war immer gut, muß ich sagen, und der Knoblauch darin prima. Sie senkt den Kopf. Alte, sag schon was.

KROBYLE: Wann kann ich eintreten beim Korax?

ANTHRAX: Schon jetzt. Wann du willst. Sie sagt wieder

nichts. Sie packt nur ihre Sachen zusammen. Ein Kopftuch, das sie von der Mutter her hat. Das Bild der Artemis über dem Bett. Die Sonntagssandalen. Das Gemälde, wo wir am Hochzeitstag vor dem Latonatempel sitzen und das der Maler Bellerophon gemacht hat, läßt sie stehen.

KROBYLE: Adies, denn, Anthrax.

ANTHRAX: Adies denn nu, Krobyle. Bist ein gutes Weib gewesen, eine brave Gattin. Sie geht hinaus. Durchs Kellerloch. Und in der Ecke raschelt eine Ratte. Immer wenn Krobyle weggeht, kommen die Ratten. Kann schön werden. Da ist noch ein Rest Hirsebrei. Löffle weiter. Meine Augen sind ganz naß. Schneuze mich mal wieder. Nicht einmal ein Pflaumenschnäpschen kann ich mir jetzt gönnen. Das ist das Elend, Anthrax, das pure, nackte Elend! Wenn ich den Prozeß gewinne, kaufe ich mir die Krobyle wieder zurück, statt einen zweiten Esel. Jetzt ist auch eine zweite Ratte da. Raus aus dem Keller. Da steh ich wieder auf der Jasonstraße, auf der bin ich jetzt mein ganzes Leben gestanden. Jasonstraße, nichts als Jasonstraße. Alles voll Menschen. Alles wirr durcheinander. Der Marktplatz voll, der Latonaplatz voll, die Schenken voll. Reden, nichts als Reden, was ist denn nu in Abdera gefahren? Und überall höre ich meinen Namen, und überall klatscht man und überall pfeift man, und überall prügelt man sich? Was ist denn nu in Abdera gefahren?

Volksgemurmel.

DER VORSITZENDE DES FREMDENVERKEHRSVEREINS ABDERA: Es geht in diesem Prozeß um mehr, es geht um den Fremdenverkehr! Denn was, Freunde und Freundinnen des abderitischen Fremdenverkehrsvereins, ist der Grund, warum Fremde unsere Stadt meiden und sich nach Xanthia begeben, nach einer Stadt, die hinsichtlich thrazischer Naturschönheiten so überaus ärmer als die unsere ist und weder ein Theater, noch ein Volkskundliches Museum, ja nicht einmal eine öffentliche Anstalt besitzt? Die

Frösche des Oberpriesters der Latona, die überall bei uns herumhüpfen, auf dem Forum, auf dem Marktplatz und im Stadtpark, und durch ihren schauererregenden Anblick die Fremden verscheuchen, sowie die Frechheit unserer Eseltreiber, die sogar für einen bloßen Schatten Geld verlangen. Es gibt, angesichts der uns allen drohenden Gefahr, nur eins, Freunde und Freundinnen des Fremdenverkehrs ... *Ausblenden.*

DER VORSITZENDE DES TIERSCHUTZVEREINS ABDERAS: Abderiten und Abderitinnen! Der Prozeß hat uns endgültig die Augen darüber geöffnet, was auf dem Spiele steht: Die Menschlichkeit! Als Vorsitzender des Tierschutzvereins protestiere ich gegen die grausame Behandlung eines Esels, die ausgerechnet ein Zahnarzt begangen hat, dessen Bestialität beim Zahnziehen wir ja genügend kennen! Was dieser Unmensch mit einer schwachen, hilflosen Kreatur trieb, läßt sich kaum beschreiben! Nicht nur, daß er sich in den Schatten des unschuldigen Esels setzte, nein, nicht genug, er ritt sogar auf dem Esel, anstatt, wie dies jeder fortschrittliche Tierfreund tut, neben ihm zu gehen. Ich fordere daher jeden tierliebenden Abderiten auf –

DER DIREKTOR DER MARMOR AG.: Nein, man kann uns nicht täuschen. Mit der Lehmbauerei ist es endgültig vorbei, der Marmor wird auch in Thrazien seinen Siegeslauf fortsetzen! Der Schlag gegen den Zahnarzt Struthion trifft die Hygiene mitten ins Gesicht, er trifft somit auch uns, die Marmor AG., denn wer mit Marmor baut, baut hygienisch!

EIN AGITATOR DER MAZEDONISCHEN ARBEITERPARTEI: Der Aristokratie und der Athenischen Hochfinanz wird es nicht gelingen, dem arbeitenden Volk einen blauen Dunst vorzumachen, und die Börsenschieber werden sich an den schweißbedeckten Fäusten des Proletariats jene Zähne ausbrechen, die ihnen der Zahnarzt flickt. Daß sich dieser griechische Salondemokrat auf einen Esel setzte, beweist, wen er damit meinte: Uns! Das Proletariat soll wieder einmal provoziert werden, und es ist provoziert!

Geschrei.

SENATSPRÄSIDENT HYPSIBOAS: Es geht darum, aus Abdera endlich einmal eine Stadt zu machen, die auf der Höhe der heutigen Zivilisation steht. Es geht darum, ob Abdera mit der Entwicklung Griechenlands Schritt halten, oder, wie Thrazien, endgültig in die Finsternis der ersten Zeiten zurücksinken muß, umgürtet von den Schwären seiner Sümpfe, umquakt von seinen Fröschen, eingehüllt in den Knoblauchodem seiner Eseltreiber! Werfen wir die letzten Reste der Barbarei von uns! Zertreten wir den Unfug des Aberglaubens! Solange jedoch so unverschämte Kerle wie dieser Eseltreiber ihre Lästerungen auf die Zivilisation unter den Augen der Behörden ungestraft weitertreiben dürfen, ist dies gewiß nicht möglich! Die Zeit eilt, Abderiten! Wir leben in der entscheidendsten Epoche der Weltgeschichte! Mitten in der Auseinandersetzung zwischen Athen und Sparta! Zwischen dem Geist und dem Materialismus, zwischen der Freiheit und der Sklaverei! Schließen wir uns denn zusammen! Verteidigen wir die Freiheit gemeinsam in der Partei, deren Gründung ich hier ausrufe, in der Partei, die sich um den Zahnarzt Struthion schart, in der Partei der Schatten!

GESCHREI: Hoch Hypsiboas, hoch die Schatten!

ZUNFTMEISTER PFRIEME: Man höhnt unsere Sümpfe, unsere Frösche, unseren Knoblauch und meint damit das Volk, man rühmt die Vernunft, die Zivilisation, und meint damit ein willkürliches Leben ohne Bindung an die Sittlichkeit! Griechenland ist groß, gewiß, aber Thrazien ist größer, denn die Heimat ist immer am größten. So schließt euch denn zusammen, Thrazier, in der Partei der Esel, in der Partei, die aus diesem Prozeß die Lehre zieht, die zu ziehen ist: Nieder mit den Feinden Thraziens, die auch die Feinde Abderas sind, nieder mit den pangriechischen Liberalen!

GESCHREI: Hoch Pfrieme, hoch die Esel! *Ausblenden.*

THYKIDIDES, DIREKTOR DER WAFFEN AG. THYKIDIDES, KORINTH: Schreib, Pamphagus: Mit größter Anteilnahme verfolgen wir den mutigen Kampf Ihrer Partei. Wir teilen voll und ganz Ihre Ansicht, daß der Friede das höchste Gut ist, doch muß man bei der verbrecherischen Absicht der Gegenpartei auf das Schlimmste gefaßt sein. Die Thykidides Waffen AG. in Korinth bietet Ihnen deshalb ihre Hilfe im Kampf um die höchsten Ideale und um den Frieden an und offeriert Ihnen prima Schwerter erster Qualität, besonders für Bürgerkriege und Straßenschlachten geeignet, zu den untenstehenden Extrapreisen. Ebenfalls bitten wir, unsere Spezial-Wurfspeere Marke Pax zu beachten, Kämpfer beider Parteien in Sizilien haben sich äußerst lobend geäußert. Die Libanonzedernschilde, mit Wildeselhaut überspannt, sind wieder in größeren Mengen lieferbar. Ihrer geschätzten Antwort entgegensehend Ihre Thykidides Waffen AG. Korinth. Verfertige zwei Abschriften, Pamphagus, und schicke jeder Partei Abderas je ein Exemplar zu.

TIPHYS *gröhlend:*

Doch eines Abends im Aprile
Der keine Sterne für sie hat,
Hat sie das Meer in aller Stille
Auf einmal plötzlich selber satt.

Sie fühlen noch, wie voll Erbarmen
das Meer mit ihnen heute wacht,
Dann nimmt der Wind sie in die Arme
Und tötet sie vor Mitternacht!

Da steh' ich wieder auf meiner Brücke mit meinem Schnaps im Leib und den Sternen in meinem Haar, mit dem Mond auf den Schultern und Tang und Öl an meinen Lumpen, umspült vom Gischt der Güsse! Heda, Steuermann, heda, Lotse! Land! Eine Wand aus Elfenbein, die sich aus dem Dunkel heranschiebt! Land, ihr Kerls, irgend eine Küste, irgend eine Stadt, die gierig nach unseren Küssen, nach unseren Messern ihre fetten Arme nach uns streckt. Wollen sehn, was es da für Geschäfte gibt!

DER ERSTE MANN: Kapitän Tiphys!

TIPHYS: Wer ruft da? Wer kommt da an Bord?

DER MANN: Einer, der seinen Namen nicht nennen will.

TIPHYS: Willkommen, Herr. Das liebe ich, wenn einer seinen Namen nicht sagen will, da gibt's Geschäfte, die sich rentieren. Was willst?

DER MANN: Feuer in der Stadt.

TIPHYS: Vom Kapitän Tiphys kannst du alles haben, Freund: Weiber, einen Brand, einen Schnaps, einen Mord. Alles zu verkaufen, bei gutem Angebot. Wie heißt sie denn, diese Stadt?

DER MANN: Abdera.

TIPHYS: Abdera heißt die Stadt! Hör zu, mein Schnaps, hör gut zu in meinem Magen: Abdera heißt die Stadt, die Stadt meines Brüderchens! Da sind wir im Kreise herumgefahren in unserer Tollheit, ich und mein Schnaps, immer im Kreise herum über dem silbernen Abgrund. Und wo willst du Feuer?

DER MANN: Im Latonentempel.

TIPHYS: Im Tempel der Frösche! Da werden sie zu Tausenden braten, die Vieher. Sieh mal an, mein Schnaps, da werden wir dem Himmel mit einer frommen Fackel ins Antlitz zünden. Und wozu, mein gutgekleideter Freund?

DER MANN: Damit wir weiterkommen, Kapitän. Wir müssen den alten Plunder einmal hinter uns lassen und weiterkommen. Es geht um die Freiheit.

TIPHYS: Hörst du, mein Schnaps, es geht um die Freiheit! Es läßt sich angenehm brandstiften, wenn's um die Freiheit geht. Zu hohen Zielen werden wir gebraucht, nicht wahr, wir zwei: du, mein Schnaps, und ich. Nun, das war immer so, an jeder Küste, in jedem Hafen, bei jedem Landstrich, unter jeder Sonne! Euch ging's um die Ideale und mir um den Schnaps, um die Weiber und um das Gold. Aber die Ideale sind noch nie ohne mich ausgekommen, die höchsten Güter noch nie ohne mein Messer. Man schätzt uns, mein Schnaps, man schätzt uns. Wieviel?

DER MANN: Fünfhundert Drachmen.

TIPHYS: Gib her. Und was hast du da in deinem ledernen Beutel, Freund? Zeig her, ich schneide ihn dir vom Gürtel, so geht es einfacher. Ei, sieh da, Perlen!

DER MANN *ängstlich:* Mein ganzes Vermögen, Kapitän. Ich trage sie immer bei mir, damit sie niemand bekommt.

TIPHYS: Ein großes Vermögen. Zwanzigtausend Drachmen unter Brüdern. Weise gehandelt, das auf dir zu tragen, so bekomme ich sie. Du hast Ideale, du brauchst keine Perlen.

DER MANN: Kapitän!

TIPHYS: Was denn, Mann? Legst du deine Hand an den Gürtel? Ein Mann mit Idealen kämpft schlechter als einer ohne. Sieh da, das Messer, es geht mir leicht aus der Hand. Bist du zu mir gekommen, Mann, nun hast du mich bekommen, den Kapitän Tiphys, dessen blutige Hände deine Gedanken ausführen. Ins Schiff mit dir, Freund, und noch diese Nacht wirst du deinen Tempel brennen sehen wie jetzt meine Trunkenheit. Ins Schiff, mein Schnapsodem bläst dich hinunter, du Narr! Auf, ihr Leute! Auf, Steuermann, auf, mein scharfsichtiger Lotse. Perlen unter euch! *Lärm balgender Männer.* So ist's schön, meine Tiere, balgt euch, Ihr Hunde, beißt euch tot, ihr Schakale! Aber da kommen wieder zwei von Abdera. Prächtig gekleidet, nobel, saubere Hände. Ein alter und ein junger. Was wollt ihr?

DER ZWEITE MANN: Kapitän Tiphys?

TIPHYS: Er sitzt vor dir. Aber wart, Mann, ich muß wieder einmal eine Pulle Schnaps reingießen, ich sehe immer doppelt, wenn ich angenüchtert bin. Du kommst aus der Stadt Abdera, Landbewohner?

DER MANN: Wohl, aus Abdera.

TIPHYS: Und bist für die Ideale? Nicht wahr, für was Hohes, Geistiges?

DER MANN: Ich bin für mein Vaterland.

TIPHYS: Auch ein schönes Ideal. Ein gesundes Ideal. Damit läßt sich gute Geschäfte machen. An den Vaterländern verdiene ich wie Heu. Was willst? So einen soliden Mord?

DER MANN: Feuer, Kapitän.

TIPHYS: Feuer! Ein begehrter Artikel. Im Tempel des Jason, nicht wahr, mein Freund?

DER MANN: Du hast es erraten.

TIPHYS: Wieviel?

DER MANN: Sechshundert Drachmen.

TIPHYS: Sechshundert Drachmen. Hörst du mein Schnaps, wir steigen im Preis, man benötigt uns immer mehr. Der da, wer ist der?

DER MANN: Mein Sohn, Kapitän. Er studiert auf der Universität.

TIPHYS: Was studiert er denn, das Söhnchen? Ist ja noch blutjung.

DER MANN: Die Rechte.

TIPHYS: Ein braver Vater, ein fürsorglicher Vater. Weise, daß du ihn mitgenommen hast: Der Sohn muß wissen, was man mit der Linken tut, wenn er die Rechte studiert. Den Sohn behalte ich da, auf meinem Schiff, bei mir und meinem Schnaps.

DER MANN *ängstlich:* Er ist mein einziger Sohn!

TIPHYS: Einen um so größeren Schurken will ich aus ihm machen! Du kassierst dein Vaterland mit Feuer ein, Mann, ich setze deinen Sohn mit auf die Rechnung. Geh, ich hätte Lust, dir ein Messer in den Leib zu stoßen, aber mein Schnaps ist heute ein milder Schnaps! Es war Branntwein aus Ephesus, opfere der Diana, sie hat dich verschont. Sollst deinen Tempel lodern sehn wie altes Pergament und ich will auf meinem Schiff zu diesem Feuer tanzen und in die Hände klatschen dabei. Ins Boot mit dir! Auf, ihr Kerle! Auf, Steuermann! Auf, Lotse! Schwimmt ans Land, das Messer zwischen den Zähnen, nackt und eingefettet, meine Haifischchen, die meine Befehle erfüllen, die das Blitzen meiner Augenwinkel in Mord umsetzen und das Runzeln meiner Brauen in Brand! Ans Land, ans Land! Zündet mir die Tempel ihrer Lügen an, als wären sie Stroh!

Feuerhorn und Glocken.

EIN WÄCHTER: Feuer! Feuer! Feuer, Herr Feuerwehrhauptmann Pyrops, Feuer! Der Tempel der Latona brennt!
PYROPS: Was? Der Tempel der Latona? Dieser morsche Holzbau? Aus dem Bett, Frau! Reich mir den Helm, den Waffenrock und die Beinschienen! Blas weiter, Kerl, aus vollen Backen!
EIN ZWEITER WÄCHTER: Der Jasontempel, Herr Pyrops, der Jasontempel brennt!
PYROPS: Der auch? Blast, Kerle, blast, es ist eine Feuersbrunst, daß die Funken stieben, ein Weltuntergang, daß die Nacht zum Tage wird. Blast, blast! Die Feldweibel Polyphem und Perseus zu mir!
POLYPHEM UND PERSEUS: Herr Hauptmann!
PYROPS: Polyphem rennt mit der Hälfte der Mannschaft zum Jasontempel und Perseus mit der andern zur Latona.
PERSEUS: Ich bin Mitglied der Schattenpartei, Herr Hauptmann. Sie können von mir nicht verlangen, daß ich mei-

ner innersten Überzeugung entgegen einen Tempel zu retten versuche, dessen Untergang ich nur begrüße.

POLYPHEM: Und ich bin ein Esel. Meine Ideale lassen die Rettung des Jasontempels nicht zu.

PYROPS: Dann gehe eben jeder zu dem Tempel, den er retten will, zum Teufel. Aber eilt! Der Wind, bedenkt doch! Die ganze Stadt brennt nieder, wenn ihr jetzt nicht handelt!

DER WÄCHTER: Die Altstadt brennt! Die Altstadt!

PYROPS: Handelt! Ich befehle! Die Stadt brennt ja an allen Ecken!

PERSEUS: Unsere Ideale, Herr, Sie müssen begreifen. Ich muß mich hier strikte an die Parole der Schattenpartei halten: Keine Hilfe den Eseln, nur ganze Hilfe den Schatten.

POLYPHEM: Meine Überzeugungen, Herr Hauptmann, als fanatischer Esel kann ich wirklich keine Ausnahme machen, wenn's ums Höchste geht!

TIPHYS: Sie brennt! Sie brennt! Abdera, mein fröhlicher Scheiterhaufen, Tiphys tanzt auf seiner Kommandobrücke in deinem Flammenschein! Da lodern deine Götter, deine Frösche, deine Geschäfte, deine Dummheit! Da springen sie bleich aus ihren Betten, deine Bewohner, in ihren Hemden, da schreien sie, da fluchen sie, da weinen sie, da vergessen sie ihre Ideale und ihren Prozeß! Grün scheint der Mond durch deine Glut, Abdera, und senkrecht steigt der Rauch in deinen Himmel! An Bord, an Bord, meine Wölfe, meine Lüchse, meine Katzen, meine Füchse! An Bord!

IRIS *verzweifelt:* Tiphys! Kapitän Tiphys!

TIPHYS: Wer steht denn da am Quai? Heißa, Iris, meine Abderitenbraut, verkohlte Witwe, was schreist du nach mir? Tiphys versinkt im Meer, mit seinen Fässern voll Wein und Öl, mit seinen Perlen und Weibern, mit seinem Schnaps und mit seiner riesigen Trunkenheit, sein Schiff gleitet zurück in die Unendlichkeit des Ozeans, in die Erhabenheit der steigenden Sterne. Ich wurde der Feuerhauch, der eure Vergänglichkeit sengte, die Gerechtigkeit, die über diese Stadt kam und immer wieder kommen wird, ich wurde die Hölle eurer Taten, die ihr selbst begangen, die ihr selbst in euren Träumen herbeiwünschtet!

Noch einmal schmeißt die letzte Welle
Zum Himmel das verfluchte Schiff,
Und da, in ihrer letzten Helle,
Erkennen sie das große Riff!

IRIS: Tiphys, mein Tiphys!

TYPHIS:

Und ganz zuletzt in höchsten Masten
War es, weil Sturm so gar laut schrie,
Als ob sie, die zur Hölle rasten,
Noch einmal sangen, laut wie nie:

O Himmel, strahlender Azur!
Enormer Wind, die Segel bläh!
Laßt Wind und Himmel fahren! Nur
Laßt uns um Sankt Marie die See!

PHILIPPIDES: Na, so ist es denn gekommen. Abdera blieb nicht bei der Sache und brannte ab. Da stehen wir in unseren Ruinen herum, Kopf an Kopf, nächtliche Gespenster unter einer grausamen Sonne, die weiterscheint, immer weiterscheint.
PELEIAS: Nichts als schwarze Mauern.
KROBYLE: Und die Fenster leere Höhlen.
MASTAX: Die Luft immer noch voll Rauch.
TELESIA: Meine korinthische Wanne ging entzwei. Sie war nicht aus Marmor. Alles Schwindel.

STROBYLUS: Meine heiligen Frösche gebraten.

AGATHYRSUS: Mein Tempel brennt immer noch. Bestes Zedernholz.

STRUTHION: Mein Haus verbrannt, meine Praxis verloren, und von meinem Weib will ich schweigen.

ANTHRAX: Nicht einmal einen Keller habe ich mehr.

MASTAX: Wer kommt denn da?

AGATHYRSUS: Mitten auf den Marktplatz?

PELEIAS: Ei, sieh doch!

STROBYLUS: Der Esel! Der Esel des Anthrax!

PHILIPPIDES: Aus seinem abgebrannten Stall entwichen!

MASTAX: Er ist schuld!

KROBYLE: Er ist der Verbrecher!

PELEIAS: Der Schurke!

AGATHYRSUS: Der Gauner!

STRUTHION: Der Brandstifter!

ALLE: Auf ihn! Auf ihn! Auf ihn!

Geschrei. Der Esel galoppiert.

ALLE: Da! Da! Packt ihn! Tötet ihn! Steinigt ihn! Zerreißt ihn!

ANTHRAX: Ich will meinen Esel! Ich will meinen Esel!

ESEL: Erlaubt mir, meine Damen und Herren, erlaubt mir, bevor mich die Steine meiner Verfolger erreichen, bevor nun ihre Messer in meinen Leib fahren und ihre Hunde mich zerfleischen, daß ich, der Esel des Anthrax, der ich mit gesträubtem Fell angstvoll durch die Gassen der ausgebrannten Stadt Abdera galoppiere, immer mehr umzingelt, immer mehr verwundet, erlaubt mir, wenn es auch ungewöhnlich ist, einen Esel reden zu hören, eine Frage an euch zu richten. Doch, da ich ja gewissermaßen die Hauptperson dieser Erzählung bin, seid mir darob nicht böse und antwortet mir ehrlich und mit bestem Gewissen, wie ich nun unter den Geschossen eurer Brüder elend zu Grunde gehe: *War ich in dieser Geschichte der Esel?*

Musik.

NÄCHTLICHES GESPRÄCH

MIT EINEM VERACHTETEN MENSCHEN

[EIN KURS FÜR ZEITGENOSSEN]

DIE STIMMEN

Der Mann
Der andere

EINE FENSTERSCHEIBE KLIRRT

DER MANN *ruhig und laut:* Kommen Sie bitte herein.

Stille.

DER MANN: Kommen Sie herein. Es hat keinen Sinn, auf dem Fenstersims sitzenzubleiben in dieser unangenehmen Höhe, wenn Sie schon heraufgeklettert sind. Ich kann Sie ja sehen. Der Himmel da draußen hinter Ihrem Rücken ist immer noch heller in seiner Dunkelheit als die Finsternis dieses Zimmers.

Ein Gegenstand fällt auf den Boden.

DER MANN: Sie haben die Taschenlampe fallen lassen.

DER ANDERE: Verflixt.

DER MANN: Es hat keinen Sinn, nach ihr auf dem Boden zu suchen. Ich mache Licht.

Ein Schalter knackt.

DER ANDERE: Vielen Dank, Herr.

DER MANN: So. Da sind Sie. Die Situation ist gleich sympathischer, wenn man sich sieht. Sie sind ja ein älterer Mann!

DER ANDERE: Haben Sie einen jungen erwartet?

DER MANN: Allerdings. Ich habe dergleichen erwartet. Nehmen Sie auch die Taschenlampe wieder zu sich. Sie liegt rechts vom Stuhl.

DER ANDERE: Verzeihung.

Eine Vase zersplittert.

DER ANDERE: Verflixt nochmal. Jetzt habe ich eine chinesische Vase umgeworfen.

DER MANN: Den griechischen Weinkrug.

DER ANDERE: Kaputt. Es tut mir leid.

DER MANN: Macht nichts. Ich werde kaum noch Gelegenheit haben, ihn zu vermissen.

DER ANDERE: Es ist schließlich nicht mein Metier, Fassaden zu klettern und einzubrechen. Was jetzt von einem verlangt wird, soll doch der Teufel – meine Ungeschicklichkeit tut mir wirklich leid, Herr!

DER MANN: Das kann vorkommen.
DER ANDERE: Ich glaubte –
DER MANN: Sie waren der Meinung, ich schliefe im andern Zimmer. Ich verstehe. Sie konnten wirklich nicht wissen, daß ich um diese Zeit noch im Finstern an meinem Schreibtisch sitze.
DER ANDERE: Normale Menschen liegen um diese Zeit im Bett.
DER MANN: Wenn normale Zeiten sind.
DER ANDERE: Ihre Frau?
DER MANN: Machen Sie sich keine Sorgen. Meine Frau ist gestorben.
DER ANDERE: Haben Sie Kinder?
DER MANN: Mein Sohn ist in irgendeinem Konzentrationslager.
DER ANDERE: Die Tochter?
DER MANN: Ich habe keine Tochter.
DER ANDERE: Sie schreiben Bücher? Ihr Zimmer ist voll davon.
DER MANN: Ich bin Schriftsteller.
DER ANDERE: Liest jemand die Bücher, die Sie schreiben?
DER MANN: Man liest sie überall, wo sie verboten sind.
DER ANDERE: Und wo sie nicht verboten sind?
DER MANN: Haßt man sie.
DER ANDERE: Beschäftigen Sie einen Sekretär oder eine Sekretärin?

DER MANN: In Ihren Kreisen müssen über das Einkommen der Schriftsteller die wildesten Gerüchte zirkulieren.
DER ANDERE: So befindet sich demnach zur Zeit außer Ihnen niemand in der Wohnung?
DER MANN: Ich bin allein.
DER ANDERE: Das ist gut. Wir brauchen absolute Ruhe. Das müssen Sie begreifen.
DER MANN: Sicher.

DER ANDERE: Es ist klug von Ihnen, mir keine Schwierigkeiten zu machen.
DER MANN: Sie sind gekommen, mich zu töten?
DER ANDERE: Ich habe diesen Auftrag.
DER MANN: Sie morden auf Bestellung?
DER ANDERE: Mein Beruf.
DER MANN: Ich habe es immer dunkel geahnt, daß es heute in diesem Staat auch Berufsmörder geben muß.
DER ANDERE: Das war immer so, Herr. Ich bin der Henker dieses Staats. Seit fünfzig Jahren.
Stille.
DER MANN: Ach so. Du bist der Henker.
DER ANDERE: Haben Sie jemand anders erwartet?
DER MANN: Nein. Eigentlich nicht.
DER ANDERE: Sie tragen Ihr Schicksal mit Fassung.
DER MANN: Du drückst dich reichlich gewählt aus.
DER ANDERE: Ich habe es heute vor allem mit gebildeten Leuten zu tun.
DER MANN: Es tut nur gut, wenn die Bildung wieder etwas Gefährliches wird. Willst du dich nicht setzen?
DER ANDERE: Ich setze mich ein wenig auf die Schreibtischkante, wenn es Sie nicht geniert.
DER MANN: Tu nur wie zu Hause. Darf ich dir einen Schnaps offerieren?
DER ANDERE: Danke, aber erst für nachher. Vorher trinke ich nicht. Damit die Hand sicher bleibt.
DER MANN: Das sehe ich ein. Nur mußt du dich dann selbst servieren. Ich habe ihn extra für dich gekauft.
DER ANDERE: Sie wußten, daß Sie zum Tode verurteilt worden sind?
DER MANN: In diesem Staate ist alles zum Tode verurteilt, und es bleibt einem nichts anderes mehr übrig, als durchs Fenster in den unermeßlichen Himmel zu starren und zu warten.
DER ANDERE: Auf den Tod?

DER MANN: Auf den Mörder. Auf wen sonst? Man kann in diesem verfluchten Staat alles berechnen, denn nur das Primitive ist wirklich übersichtlich. Die Dinge nehmen einen so logischen Verlauf, als wäre man in eine Hackmaschine geraten. Der Ministerpräsident hat mich angegriffen, man weiß, was dies bedeutet, die Reden Seiner Exzellenz pflegen unästhetische Folgen zu haben. Meine Freunde beschlossen zu leben und zogen sich zurück, da sich jeder zum Tode verurteilt, der mich besucht. Der Staat schloß mich in das Gefängnis seiner Ächtung ein. Aber einmal mußte er die Mauern meiner Einsamkeit aufbrechen. Einmal mußte er einen Menschen zu mir schicken, wenn auch nur, um mir den Tod zu geben. Auf diesen Menschen habe ich gewartet. Auf einen, der so denkt, wie meine wahren Mörder denken. Diesem Menschen wollte ich noch einmal – zum letztenmal – sagen, wofür ich ein ganzes Leben lang gekämpft habe. Ich wollte ihm zeigen, was die Freiheit ist, ich wollte ihm beweisen, daß ein freier Mann nicht zittert. Und nun bist du gekommen.

DER ANDERE: Der Henker.

DER MANN: Mit dem zu reden es keinen Sinn hat.

DER ANDERE: Sie verachten mich?

DER MANN: Wer hätte dich je achten können, verächtlichster unter den Menschen.

DER ANDERE: Einen Mörder hätten Sie geachtet?

DER MANN: Ich hätte ihn wie einen Bruder geliebt, und ich hätte mit ihm wie mit einem Bruder gekämpft. Mein Geist hätte ihn besiegt in der Triumphstunde meines Todes. Aber nun ist ein Beamter zu mir durch das Fenster gestiegen, der tötet und einmal fürs Töten eine Pension beziehen wird, um satt wie eine Spinne auf seinem Sofa einzuschlafen. Willkommen, Henker!

DER ANDERE: Bitte schön.

DER MANN: Du wirst verlegen. Das ist verständlich, ein

Henker kann nicht gut antworten. Es freut mich, Ihre Bekanntschaft zu machen.

DER ANDERE: Sie fürchten sich nicht?

DER MANN: Nein. Wie denkst du, die Exekution auszuführen?

DER ANDERE: Lautlos.

DER MANN: Ich verstehe. Es muß Rücksicht auf die Familien genommen werden, die noch in diesem Hause wohnen.

DER ANDERE: Ich habe ein Messer bei mir.

DER MANN: Also gewissermaßen chirurgisch. Werde ich zu leiden haben?

DER ANDERE: Es geht schnell. In Sekunden ist es vorbei.

DER MANN: Du hast schon viele auf diese Weise getötet?

DER ANDERE: Ja. Schon viele.

DER MANN: Es freut mich, daß der Staat wenigstens einen Fachmann schickt und keinen Anfänger. Habe ich noch etwas Bestimmtes zu tun?

DER ANDERE: Wenn Sie sich entschließen könnten, den Kragen zu öffnen.

DER MANN: Darf ich mir vorher noch eine Zigarette anzünden?

DER ANDERE: Klar. Das ist Ehrensache. Das bewilligte ich jedem. Es eilt auch gar nicht so mit dem andern.

DER MANN: Eine Camel. Rauchst du auch eine?

DER ANDERE: Erst nachher.

DER MANN: Natürlich. Du machst alles erst nachher. Wegen der Hand. Dann lege ich sie zum Schnaps.

DER ANDERE: Sie sind gütig.

DER MANN: Zu einem Hund ist man immer gütig.

DER ANDERE: Da haben Sie Feuer.

DER MANN: Ich danke dir. So. Und nun ist auch der Kragen offen.

DER ANDERE: Sie tun mir wirklich leid, Herr.

DER MANN: Ich finde es auch etwas bedauerlich.

DER ANDERE: Dabei dürfen Sie von Glück sagen, daß dies alles so ganz privat in dieser Nacht zu geschehen hat.
DER MANN: Ich fühle mich auch ungemein bevorzugt.
DER ANDERE: Sie sind eben ein Schriftsteller.
DER MANN: Nun?
DER ANDERE: Da werden Sie für die Freiheit sein.
DER MANN: Nur.
DER ANDERE: Dafür sind sie jetzt alle, die ich töten muß.
DER MANN: Was versteht ein Henker schon von der Freiheit!
DER ANDERE: Nichts, Herr.
DER MANN: Eben.
DER ANDERE: Sie haben Ihre Zigarette zertreten.
DER MANN: Ich bin etwas nervös.
DER ANDERE: Wollen Sie jetzt sterben?
DER MANN: Noch eine Zigarette, wenn ich darf.
DER ANDERE: Rauchen Sie nur. Die meisten rauchen vorher noch eine Zigarette und dann noch eine. Jetzt sind's amerikanische und englische. Früher französische und russische.
DER MANN: Das kann ich mir denken. Zwei Zigaretten vor dem Tod und ein Gespräch mit dir, das möchte ich auch nicht missen.
DER ANDERE: Obgleich Sie mich verachten.
DER MANN: Man gewöhnt sich auch ans Verächtliche. Aber dann ist es höchste Zeit zum Sterben.
DER ANDERE: Hier haben Sie noch einmal Feuer, Herr.
DER MANN: Danke.
DER ANDERE: Jeder hat eben doch ein wenig Furcht.
DER MANN: Ja. Ein wenig.
DER ANDERE: Und man trennt sich ungern vom Leben.
DER MANN: Wenn es keine Gerechtigkeit mehr gibt, trennt man sich leicht davon. Aber von der Gerechtigkeit wirst du auch nichts verstehen.
DER ANDERE: Auch nicht, Herr.

DER MANN: Siehst du, ich habe nie im geringsten das Gegenteil angenommen.
DER ANDERE: Die Gerechtigkeit ist eine Sache von euch da draußen, denke ich. Wer soll auch klug werden daraus. Ihr habt ja immer wieder eine andere. Da lebe ich nun fünfzig Jahre im Gefängnis. Ich werde ja erst in der letzten Zeit auch nach außen geschickt, und dies nur bei Nacht. Hin und wieder lese ich eine Zeitung. Hin und wieder drehe ich das Radio an. Dann vernehme ich vom rasenden Ablauf der Schicksale, vom unaufhörlichen Versinken und Aufsteigen der Mächtigen und Glänzenden, vom donnernden Vorbeigang ihrer Trosse, vom stummen Untergang der Schwachen, doch bei mir bleibt sich alles gleich. Immer die gleichen, grauen Mauern, die gleiche rinselnde Feuchtigkeit, die gleiche schimmelnde Stelle oben an der Decke, die fast wie Europa aussieht im Atlas, den gleichen Gang durch den dunklen, langen Korridor in den Hof hinaus im fahlen Morgengrauen, die immer gleichen bleichen Gestalten in Hemd und Hose, die mir entgegengeführt werden, das immer gleiche Zögern, wenn sie mich erblicken, das immer gleiche Zuschlagen, bei Schuldigen und bei Unschuldigen: zuschlagen, zuschlagen wie ein Hammer, zuschlagen wie ein Beil, das man nicht fragt.
DER MANN: Du bist eben ein Henker.
DER ANDERE: Ich bin eben ein Henker.
DER MANN: Was ist einem Henker schon wichtig!
DER ANDERE: Die Art, wie einer stirbt, Herr.
DER MANN: Die Art, wie einer krepiert, willst du sagen.
DER ANDERE: Da sind gewaltige Unterschiede.
DER MANN: Nenne mir diese Unterschiede.
DER ANDERE: Es ist gewissermaßen die Kunst des Sterbens, nach der Sie fragen.
DER MANN: Dies scheint die einzige Kunst zu sein, die wir heute lernen müssen.

DER ANDERE: Ich weiß weder, ob man diese Kunst lehren kann, noch wie man sie lernt. Ich sehe nur, daß sie einige besitzen und viele nicht, daß Stümper in dieser Kunst zu mir kommen und große Meister. Sehen Sie, Herr, vielleicht wäre für mich alles leichter zu verstehen, wenn ich mehr von den Menschen wüßte, wie sie in ihrem Leben sind, was sie denn eigentlich unternehmen die ganze ungeheure Zeit über, bis sie zu mir kommen; was das heißt, heiraten, Kinder haben, Geschäfte machen, eine Ehre besitzen, eine Maschine handhaben, spielen und trinken, einen Pflug führen, Politik betreiben, sich für Ideen oder ein Vaterland aufopfern, nach Macht streben, und was man nur immer tut. Das werden gute Leute sein oder schlechte, gewöhnliche und kostspielige, so wie man eben versteht zu leben, wie es die Umstände ergeben, die Herkunft, die Religion, oder das Geld, das man gerade dazu hat, oder zu was einen der Hunger treibt. Daher weiß ich denn auch nicht die ganze Wahrheit vom Menschen, sondern nur meine Wahrheit.
DER MANN: Zeig sie her, deine Henkerswahrheit.
DER ANDERE: Zuerst habe ich mir das alles ganz einfach vorgestellt. Ich war ja auch nicht viel mehr denn ein dumpfes Tier, eine brutale Kraft mit der Aufgabe, zu henken. Da habe ich mir gedacht: Alles, was man verlieren kann, ist das Leben, etwas anderes als das Leben gibt es nicht, der ist ein armer Teufel, der dieses Leben verliert. Aus diesem Grunde war ich ja auch ein Henker geworden, damals vor fünfzig Jahren, um mein Leben wiederzugewinnen, das ich, aufgewachsen wie ein rohes Stück Vieh, vor dem Gericht verloren hatte, und als Gegenleistung verlangte man eben, daß ich ein tüchtiger Henker werde. Das Leben wollte doch auch verdient sein. Ich wurde Henker, wie einer da draußen bei euch Bäcker wird oder General: um zu leben. Und das Leben war das gleiche wie Henken. War das nicht ehrlich gedacht?

DER MANN: Gewiß.

DER ANDERE: Nichts schien mir natürlicher, als daß ein Kerl sich wehrte, wenn er sterben mußte, wenn sich zwischen ihm und mir ein wilder Kampf entspann, bis ich seinen Kopf auf dem Richtblock hatte. So starben die wilden Burschen aus den Wäldern, die im Jähzorn töteten oder einen Raubmord unternahmen, um ihrem Mädchen einen roten Rock zu kaufen. Ich verstand sie und ihre Leidenschaften, und ich liebte sie, war ich doch einer von ihnen. Da war Verbrechen in ihrem Handeln und Gerechtigkeit in meinem Henken, die Rechnung war klar und ging auf. Sie starben einen gesunden Tod.

DER MANN: Ich verstehe dich.

DER ANDERE: Und dann waren andere, die starben anders, obgleich es mir manchmal scheint, daß es doch ein gleiches Sterben war. Die behandelten mich mit Verachtung und starben stolz, Herr, hielten vorher prächtige Reden über die Freiheit und über die Gerechtigkeit, spotteten über die Regierung, griffen die Reichen an oder die Tyrannen, daß es einem kalt über den Rücken lief. Die, denke ich, starben so, weil sie sich im Recht glaubten und vielleicht auch recht hatten, und nun wollten sie zeigen, wie gleichgültig ihnen der Tod war. Auch hier war die Rechnung klar und einfach: es war Krieg zwischen ihnen und mir. Sie starben im Zorn und in der Verachtung, und ich schlug im Zorn zu, die Gerechtigkeit lag bei beiden, meine ich. Die starben einen imposanten Tod.

DER MANN: Brav umgekommen! Mögen heute viele so sterben!

DER ANDERE: Ja, Herr, das ist eben das Merkwürdige: heute stirbt man nicht mehr so.

DER MANN: Wie das, Schurke! Gerade heute ist jeder ein Rebell, der durch deine Hand stirbt.

DER ANDERE: Ich glaube auch, daß viele so sterben möchten.

DER MANN: Es steht jedem frei, zu sterben, wie er will.
DER ANDERE: Nicht mehr bei diesem Tod, Herr. Da gehört durchaus Publikum dazu. Das war vorher noch so unter den vorigen Regierungen, da war die Hinrichtung ein Anlaß, zu dem man feierlich erschien: Der Richter war da, der Staatsanwalt, der Verteidiger, ein Priester, einige Journalisten, Ärzte und andere Neugierige, alle in schwarzem Gehrock, wie zu einem Staatsakt, und manchmal war sogar noch ein Trommelwirbel dabei, um die Angelegenheit recht imposant zu machen. Da lohnte es sich für den Verurteilten noch, eine zündende Schmährede zu halten, der Staatsanwalt hat sich oft genug geärgert und auf die Lippen gebissen. Aber heute hat sich das geändert. Man stirbt allein mit mir. Nicht einmal ein Priester ist dabei, und es war ja auch vorher kein Gericht. Da man mich verachtet, spricht man auch nicht mehr, und das Sterben stimmt dann auch nicht, weil die Rechnung nicht aufgeht und der Verurteilte zu kurz kommt. So sterben sie denn, wie Tiere sterben, gleichgültig, und das ist doch auch nicht die rechte Kunst. Wenn es aber doch ein Gericht gegeben hat, weil dies der Staat bisweilen braucht, und wenn einmal doch der Staatsanwalt und der Richter erscheinen, da ist der Verurteilte ein gebrochener Mann, der alles mit sich machen läßt. Das ist dann ein trauriger Tod. Es sind eben andere Zeiten gekommen, Herr.

DER MANN: Andere Zeiten! Sogar der Henker nimmt dies wahr!
DER ANDERE: Es wundert mich nur, was in der Welt heute denn eigentlich los ist.
DER MANN: Der Henker ist los, mein Freund! Auch ich wollte sterben wie ein Held. Und nun bin ich mit dir allein.
DER ANDERE: Allein mit mir in der Stille dieser Nacht.

DER MANN: Auch mir bleibt nichts anderes übrig, als umzukommen, wie die Tiere umkommen.

DER ANDERE: Es gibt ein anderes Sterben, Herr.

DER MANN: So erzähle mir, wie man in unserer Zeit anders stirbt denn ein Tier.

DER ANDERE: Indem man demütig stirbt, Herr.

DER MANN: Deine Weisheit ist eines Henkers würdig! Man soll in dieser Zeit nicht demütig sein, Bube! Man soll auch nicht demütig sterben. Diese Tugend ist heute unanständig geworden. Man soll bis zum letzten Atemzug gegen die Verbrechen protestieren, die an der Menschheit begangen werden.

DER ANDERE: Das ist die Sache der Lebenden, aber die Sache der Sterbenden ist eine andere.

DER MANN: Die Sache der Sterbenden ist die gleiche. Da soll ich zu nächtlicher Stunde in diesem Zimmer, umgeben von meinen Büchern, von den Dingen meines Geistes, von dir, einem verächtlichen Menschen, noch vor dem ersten Morgengrauen getötet werden, ohne Anklage, ohne Gericht, ohne Verteidigung, ohne Urteil, ja, ohne Priester, was doch sonst jedem Verbrecher zukommt, geheim, wie der Befehl heißt, ohne daß die Menschen es wissen dürfen, nicht einmal die, welche in diesem Hause schlafen. Und du verlangst Demut von mir! Du Narr, die Schmach der Zeit, die aus Mördern Staatsmänner und aus Henkern Richter macht, zwingt die Gerechten, wie Verbrecher zu sterben. Verbrecher kämpfen, hast du gesagt. Gut gesprochen, Henker! Ich werde mit dir kämpfen.

DER ANDERE: Es ist sinnlos, mit mir zu kämpfen.

DER MANN: Daß nur noch der Kampf mit dem Henker einen Sinn hat, macht diese Zeit so barbarisch.

DER ANDERE: Sie treten zum Fenster.

DER MANN: Mein Tod soll in dieser Nacht nicht versinken wie ein Stein versinkt, lautlos, ohne Schrei. Mein Kampf soll gehört werden. Ich will durch dieses offene

Fenster in die Straße hineinschreien, hinein in diese unterjochte Stadt!

Er schreit: Hört, ihr Leute, hier kämpft einer mit seinem Henker! Hier wird einer wie ein Tier abgeschlachtet! Leute, springt aus euren Betten! Kommt und seht, in welchem Staat wir heute leben!

Stille.

DER MANN: Du hinderst mich nicht?

DER ANDERE: Nein.

DER MANN: Ich schreie weiter.

DER ANDERE: Bitte.

DER MANN *unsicher:* Du willst nicht mit mir kämpfen?

DER ANDERE: Der Kampf wird beginnen, wenn meine Arme dich umfangen.

DER MANN: Ich sehe! Die Katze spielt mit einer Maus. Hilfe!

Stille.

DER ANDERE: Es bleibt still auf der Straße.

DER MANN: Als ob ich nicht geschrien hätte.

DER ANDERE: Es kommt niemand.

DER MANN: Niemand.

DER ANDERE: Nicht einmal im Haus hört man etwas.

DER MANN: Keinen Schritt.

Stille.

DER ANDERE: Schreien Sie ruhig noch einmal.

DER MANN: Es hat keinen Sinn.

DER ANDERE: Jede Nacht schreit einer so wie Sie in die Straßen dieser Stadt hinein, und niemand hilft ihm.

DER MANN: Man stirbt heute allein. Die Furcht ist zu groß.

Stille.

DER ANDERE: Wollen Sie sich nicht wieder setzen?

DER MANN: Es bleibt mir wohl nichts anderes übrig.

DER ANDERE: Sie trinken Schnaps.

DER MANN: Das tut gut, wenn man sich auf einen Kampf vorbereitet. Da, Lumpenhund.

Er speit.

DER ANDERE: Sie sind verzweifelt.

DER MANN: Ich speie dir Schnaps ins Gesicht, und du bleibst ruhig. Es bringt dich nichts aus der Fassung.

DER ANDERE: Ich muß diese Nacht auch nicht sterben, Herr.

DER MANN: Der Henker bleibt ewig leben. Ich habe bis jetzt mit jenen Waffen gekämpft, die eines Mannes würdig sind, mit den Waffen des Geistes: Ich war ein Don Quichotte, der mit einer guten Prosa gegen eine schlechte Bestie vorging. Lächerlich! Nun muß ich, schon erledigt und schon von ihren Pranken zerfetzt, mit meinen Zähnen zubeißen, ein ebenso zukunftsreiches Unternehmen. Welche Komödie! Ich kämpfe für die Freiheit und besitze nicht einmal eine Waffe, um den Henker in meiner Wohnung über den Haufen zu schießen. Darf ich noch eine Zigarette rauchen?

DER ANDERE: Sie brauchen nicht zu fragen, Herr, wenn Sie doch mit mir kämpfen wollen.

Stille.

DER MANN *leise:* Ich kann nicht mehr kämpfen.

DER ANDERE: Das müssen Sie auch nicht.

DER MANN: Ich bin müde.

DER ANDERE: Das wird jeder einmal, Herr.

DER MANN: Verzeih, daß ich dir den Schnaps ins Gesicht spie.

DER ANDERE: Ich verstehe das.

DER MANN: Du mußt Geduld mit mir haben. Das Sterben ist eine gar zu schwere Kunst.

DER ANDERE: Sie zittern, und das Streichholz bricht in Ihrer Hand immer wieder entzwei. Ich werde Ihnen Feuer geben.

DER MANN: Wie die zwei vorigen Male.

DER ANDERE: Genauso.

DER MANN: Danke. Noch diese. Dann werde ich dir keine Schwierigkeiten mehr machen. Ich habe mich dir ergeben.

DER ANDERE: Wie die Demütigen, Herr.

DER MANN: Wie meinst du das?

DER ANDERE: Nichts ist so schwer zu verstehen wie die Demütigen, Herr. Schon bis man sie nur erkennt, geht es lange. Zuerst habe ich sie immer verachtet, bis ich erkannte, daß sie die großen Meister des Sterbens sind. Wenn man wie ein gleichgültiges Tier stirbt, so ergibt man sich mir und läßt mich zuschlagen, ohne sich zu wehren. Das tun auch die Demütigen, und doch ist es anders. Es ist nicht ein Sich-Ergeben aus Müdigkeit. Zuerst dachte ich: Das kommt von der Angst. Aber gerade die Demütigen haben keine Angst. Endlich glaubte ich herausgefunden zu haben: Die Demütigen waren die Verbrecher, die ihren Tod als eine Strafe hinnahmen. Merkwürdig war nur, daß auch Unschuldige so starben, Menschen, von denen ich genau wußte, daß mein Zuschlagen ungerecht befohlen war.

DER MANN: Das verstehe ich nicht.

DER ANDERE: Auch mich hat das verwirrt, Herr. Bei der Demut der Verbrecher war es mir klar, aber daß auch ein Unschuldiger so sterben konnte, begriff ich nicht, und doch starben sie ebenso, als geschähe kein Verbrechen an ihnen und als bestände ihr Tod zu Recht; ich fürchtete mich eine Zeitlang, wenn ich zuschlagen mußte, und ich haßte mich geradezu, wenn ich es tat, so irrsinnig und unbegreiflich war dieser Tod. Mein Zuschlagen war sinnlos.

DER MANN *müde und traurig:* Narren! Es waren Narren! Was nützt so ein Tod? Wenn man einmal vor dem Henker steht, ist es gleichgültig, welche Pose man annimmt. Die Partie ist verloren.

DER ANDERE: Das glaube ich nicht.

Welt zu verfluchen, ist ein Sieg, der größer ist als je ein Sieg eines Mächtigen war. Am leisen Hinsinken der Demütigen, an ihrem Frieden, der auch mich umschloß wie ein Gebet, an der Ungeheuerlichkeit ihres Sterbens, das jeder Vernunft widersprach, an *diesen* Dingen, die nichts sind vor der Welt als ein Gelächter, weniger noch, ein Achselzucken, offenbarte sich die Ohnmacht der Ungerechten, das Wesenlose des Todes und die Wirklichkeit des Wahren, über die ich nichts vermag, die kein Scherge ergreift und kein Gefängnis umschließt, von der ich nichts weiß, als daß sie *ist,* denn jeder Gewalttätige ist eingeschlossen in das dunkle, fensterlose Verließ seiner selbst. Wäre der Mensch nur Leib, Herr, es wäre einfach für die Mächtigen; sie könnten ihre Reiche erbauen, wie man Mauern baut, Quader an Quader gefügt zu einer Welt aus Stein. Doch wie sie auch bauen, wie riesenhaft nun auch ihre Paläste sind, wie übermächtig auch ihre Mittel, wie kühn ihre Pläne, wie schlau ihre Ränke, in die Leiber der Geschändeten, mit denen sie bauen, in dieses schwache Material ist das Wissen eingesenkt, wie die Welt sein soll, und die Erkenntnis, wie sie ist, die Erinnerung, wozu Gott den Menschen schuf, und der Glaube, daß diese Welt zerbrechen muß, damit sein Reich komme, als eine Sprengkraft, mächtiger denn jene der Atome, die den Menschen immer wieder umprägt, ein Sauerteig in seiner trägen Masse, der immer wieder die Zwingburgen der Gewalt sprengt, wie das sanfte Wasser die Felsen auseinanderzwängt und ihre Macht zu Sand zermahlt, der in einer Kinderhand zerrinnt.

DER MANN: Binsenwahrheiten! Nichts als Binsenwahrheiten!

DER ANDERE: Es geht heute *nur* um Binsenwahrheiten, Herr.

Stille.

DER MANN: Die Zigarette ist zu Ende.

DER ANDERE: Noch eine?
DER MANN: Nein, nicht mehr.
DER ANDERE: Schnaps?
DER MANN: Auch nicht.
DER ANDERE: Nun?
DER MANN: Schließ das Fenster. Draußen fährt die erste Straßenbahn.
DER ANDERE: Das Fenster ist zu, Herr.
DER MANN: Ich wollte zu meinem Mörder erhabene Dinge sprechen, nun hat der Henker zu mir einfache Dinge gesprochen. Ich habe für ein besseres Leben auf dieser Erde gekämpft, dafür, daß man nicht ausgebeutet wird wie ein Tier, welches man vor den Pflug spannt: da, geh, schaff Brot für die Reichen! Im weitern, daß die Freiheit sei, damit wir nicht nur klug wie die Schlangen, sondern auch sanft wie die Tauben sein können, und endlich, daß man nicht krepiere in irgendeiner Schinderhütte, auf irgendeinem lehmigen Feld oder gar in deinen roten Händen; daß man diese Angst, diese unwürdige Angst nicht durchmachen muß, die man vor deinem Handwerk hat. Es war ein Kampf um Selbstverständlichkeiten, und es ist eine traurige Zeit, wenn man um das Selbstverständliche kämpfen muß. Aber wenn es einmal so weit ist, daß dein riesiger Leib aus einem leeren Himmel in das Innere unseres Zimmers steigt, dann darf man wieder demütig sein, dann geht es um etwas, das nicht selbstverständlich ist: um die Vergebung unserer Sünden und um den Frieden unserer Seele. Das weitere ist nicht unsere Sache, es ist aus unseren Händen genommen. Unser Kampf war ein guter Kampf, aber unser Unterliegen war ein noch besseres Unterliegen. Nichts ist verloren von dem, was wir taten. Immer aufs neue wird der Kampf aufgenommen, immer wieder, irgendwo, von irgendwem und zu jeder Stunde. Geh, Henker, lösch die Lampe, der erste Strahl des Morgens wird deine Hände führen.

DER ANDERE: Wie Sie es wünschen, Herr.
DER MANN: Es ist gut.
DER ANDERE: Sie stehen auf.
DER MANN: Ich habe nichts mehr zu sagen. Es ist so weit. Nimm jetzt das Messer.
DER ANDERE: Sind Sie wohl in meinem Arm, Herr?
DER MANN: Sehr wohl. Stoß zu.

(Geschrieben 1951)

STRANITZKY

UND DER NATIONALHELD

DIE STIMMEN

Der Ansager
Der Innenminister
Stranitzky
Der Herr mit dem Vollbart
Korbmacher
Anton
Die Marie
Zeitungsausrufer
Plakettenverkäufer
Der Polizist
Chefredaktor Donner
Der Nationalheld
J. P. Whiteblacke
Fleischer
Fräulein Luise
Eine Stimme aus dem Hintergrund
Seewein
Baß
Eine Radiosprecherin

DER ANSAGER: Diese Geschichte handelt von der Erkrankung unseres Nationalhelden Baldur von Moeve, den alle Welt kennt und von dem die ganze Welt spricht, und von einem Invaliden, den niemand kennt. Die Krankheit des Nationalhelden ist sensationell,

DER INNENMINISTER: heimtückisch,

DER ANSAGER: wie sich unser Innenminister in seiner Radioansprache ausdrücken wird,

DER INNENMINISTER: doch darf,

DER ANSAGER: wird der Minister hinzufügen,

DER INNENMINISTER: unser Nationalheld gewiß sein, daß ihn in dieser harten Prüfung die Liebe und die Verehrung der ganzen Nation trägt.

DER ANSAGER: Während der Fall des Invaliden namens –

STRANITZKY *bescheiden:* Stranitzky

DER ANSAGER: Stranitzky nur einer von vielen ist, bedauernswert, gewiß, doch die Zeiten waren nicht leicht, wir haben alle was durchgemacht. Die Geschichte beginnt in einem östlichen Viertel unserer Hauptstadt, in der Nähe der Seifenfabrik Huber und des Schlüpferkonzerns Diana und Co., hoch in einem Mietshaus, oftmals beschädigt durch die peinlichen Unglücksfälle der Epoche, wunderbarerweise noch nicht gerade zusammengestürzt. Wir befinden uns in einer Mansarde des fünften Stocks, Nummer vierzehn, morgens um halb sechs. Das Haus ist lärmig. Dazu macht sich der Geruch der vielen Aborte bemerkbar. Eben ist nebenan in Nummer fünfzehn der ewig betrunkene Herr mit dem Vollbart heimgekehrt, dessen Beruf niemand weiß.

DER BETRUNKENE *grölend:* Die Luise, so wunderschön wie diese –

DER ANSAGER: Während Fräulein Müller, Luise Müller, deren Beruf wir alle wissen, Nummer dreizehn eben verläßt, begleitet – schweigen wir von dieser Szene. Überall Kindergeschrei.

Man hört Kinder schreien.

DER ANSAGER: Das Radio im vierten Stock spielt Chopins Trauermarsch.

Man hört den Trauermarsch

DER ANSAGER: Und in der Wohnung gerade unter der Mansarde haben Korbmachers Streit, wie jeden Morgen um diese Zeit.

KORBMACHER: Du Ratte! Du Nachteule!

Man hört Geschirr zerschlagen

DER ANSAGER: In der Mansarde Nummer vierzehn nun, durchzittert von diesem Lärm, diesem Kindergeschrei, diesem betrunkenen Gesang und diesem Trauermarsch, durchdröhnt jedoch auch vom Schnarchen eines riesenhaften Menschen, der zerlumpt auf einer löcherigen Matratze schläft, liegt der Invalide –

STRANITZKY *bescheiden:* Stranitzky.

DER ANSAGER: Stranitzky, ebenfalls auf einer löcherigen Matratze, jener des Schnarchenden gegenüber, notdürftig zugedeckt von einem alten Militärmantel, und läßt in diesem Augenblick bleich vor Aufregung die Zeitung sinken.

STRANITZKY: Wahrhaftig, die Zeitung fällt mir aus den Händen, so bin ich aufgeregt, denn ich habe eben die Trauermeldung über den Baldur von Moeve gelesen, unseren Nationalhelden! Wie gut, daß ich die Zeitung gestern abend auf dem Rückweg von der Suppenanstalt habe in der Straßenrinne liegen sehen. Anton, habe ich zu meinem wackeren Matrosen gesagt, der meinen Wagen durch die Straßen unserer Hauptstadt stößt und mich wie ein kleines Kind die fünf Stockwerke hoch trägt, dem ich meine Augen leihe, damit er mir seine Beine gibt in diesem verfluchten Geschäft, he, Anton, sagte ich, da liegt eine Zeitung. Mußt dich nur bücken mit deinen zwei Metern zehn, die du lang bist, und dann etwas nach links greifen, da hast du sie. Ich will doch sehen, morgen, wenn gegen halb sechs der Tag kommt und du noch schnarchst, was die Weltgeschichte uns Neues bringt dafür, daß sie dir die Augen genommen hat und mir beide Beine. Und nun, wie der Morgen kommt, mit dem Gesang vom Herrn mit dem Vollbart und mit dem Streit bei Korbmachers, und wie ich die Zeitung aufschlage, da lese ich gleich die Meldung. Hier, auf der ersten Seite, mit großen Buchstaben. He, Anton, wach auf!

ANTON: Was ist?

STRANITZKY: Eine Sensation, Anton, eine Chance!

ANTON: Was Sensation! Was Chance! Kann ich eine größere Sensation haben als eben gerade im Traum? Da schwimme ich fünfzig Fuß unter der Meeresoberfläche in meinem Taucheranzug, der verlorenging, als die Gloria in die Luft flog und dazu meine wasserblauen Augen in einen noch blaueren Himmel hinein. Eben schwebte ich auf ein Wrack zu, das im Korallengeäst hängt, von Tintenfischen umkränzt mit meterlangen, ringelnden Armen, und da mußt du mich stören mit deinem He, Anton, wach auf! Das wäre eine Chance gewesen, Stranitzky, dieses Gold, das mir da, während ich schnarche, aus zerborstenen Kisten zwischen Seesternen und Medusen entgegenleuchtete.

STRANITZKY: Und du wachst auf aus deinem Schlaf und fort ist das Gold! Was gehen mich deine Träume an! Ich habe dir eine wirkliche Chance zu bieten diesen Morgen, die unser Glück ist und das der Welt obendrein. Hörst du den Trauermarsch?

Man hört den Trauermarsch von Chopin

ANTON: Ich verstehe. Wenn der im Radio kommt, ist wer Wichtiges gestorben.

STRANITZKY: Viel günstiger. Der Moeve ist aussätzig geworden.

ANTON: Der Moeve?

STRANITZKY: Unser Nationalheld.

ANTON: Wie soll der in unserer Gegend aussätzig geworden sein?
STRANITZKY: Der war doch in Abessinien, wo er die Bevölkerung besuchen mußte, um sein soziales Mitgefühl zu zeigen. Dabei ist er etwas zu weit gegangen in seinem Eifer. Er betrat, barfuß nach der Sitte des Landes, eine Hütte und ist davon aussätzig geworden.
ANTON: Wo denn?
STRANITZKY: An der großen Zehe vom linken Fuß.
ANTON: Und das soll eine Chance sein?
STRANITZKY: Einfach, Anton, ganz einfach: unser Unglück kommt daher, daß wir als Invalide nichts zu sagen haben.
ANTON: Ich will auch nichts zu sagen haben.
STRANITZKY: Weil du immer gleich einschläfst und von deinen Tintenfischen träumst. Aber ich schlafe schlecht, Anton, ich bin ein wacher Mensch. Ich denke über unser Elend nach. Wir sind nichts, das ist unser Pech. Auf uns hört niemand, der Grund unseres Übels. Aber nun ist alles anders geworden. Nun gehört der Moeve zu uns. Er ist aussätzig, und wir sind invalid. Er wird uns nun verstehen. Wir gehen zu Moeve. In der Bethlehemklinik liegt er, steht in der Zeitung.
ANTON: Was sollen wir dort?
STRANITZKY: Der Moeve muß mit uns eine Regierung bilden.
ANTON: Eine Regierung?
STRANITZKY: Wir werden Minister.
ANTON: Minister?
STRANITZKY: Was denn sonst? Ich bin Fußballspieler gewesen und du ein Marinetaucher. Aber kann ich etwa noch Fußball spielen ohne Beine und du in deine Meere tauchen ohne Augen? Das sollen jetzt die Gesunden tun. Zum Regieren braucht man keine Glieder.
ANTON *lacht:* Das wird unser Nationalheld einsehen!

anständig. Das ist ein reelles Geschäft. Was sind das für Beine? Gute Prothesen, sagte er, und ich fragte: Kann ich damit Fußball spielen? Er antwortete, man habe mit diesen Prothesen schon Berge bestiegen. Ich bin kein Bergsteiger, sagte ich, ich bin Fußballspieler. Kann ich damit wieder in der ersten Mannschaft des F.C. Patria Links-Verbinder spielen? Herr Stranitzky, antwortete der Mann von der Invalidenfürsorge, das ist ein unmögliches Verlangen. Dann will ich auch die Beine nicht, sagte ich. Ich habe mit meinen Beinen verdient, das war mein Geschäft, und so will ich auch mit den neuen Beinen wieder verdienen können. Der Staat soll mir gleichwertige Beine liefern, wenn er sie mir genommen hat, keine andern, oder ich bleibe, wie ich bin, ein lebendiges Denkmal, daß der Staat an mir ein Verbrechen begangen hat.
MARIE *weinend:* Ich habe Sie doch gern, Herr Stranitzky!
STRANITZKY: Nicht weinen, Fräulein, nicht weinen. Wer weiß, was noch kommt, wer weiß, was der Stranitzky im Sinn hat, zu was er es noch bringt, wenn einmal die Chance kommt, die große, einmalige Chance! Nicht umsonst habe ich gegen die Spanier vier Tore geschossen! Und die Chance ist gekommen. Und nicht nur für mich, sondern auch für Sie und den langen Anton. Mariechen, Mariechen, Mariechen, hören Sie nicht die wunderschöne Trauermusik im Radio bei Fleischers, schon den ganzen Morgen, und wie nun der Innenminister eine Rede hält?
DER INNENMINISTER: ... heimtückisch, doch darf unser Nationalheld gewiß sein, daß ihn in dieser harten Prüfung die Liebe und die Verehrung der ganzen Nation trägt. Wir werden dem Helden von Finsterwalde und Saint Plinplin die Treue bewahren, auch wenn er jetzt aussätzig ist, um das furchtbare, uns niederschmetternde Wort einmal auszusprechen. Gerade in dieser Stunde geloben wir ...
DER ANSAGER: Lassen wir den Innenminister seine viel-

beachtete und im Lauf des Tages öfters im Rundfunk wiederholte Rede halten, lassen wir aber auch den Invaliden Stanislawsky –

STRANITZKY *bescheiden:* Stranitzky.

DER ANSAGER: Stranitzky mit seiner wilden Hoffnung, mit seiner Marie und dem blinden Taucher Anton in der Mansarde Nummer vierzehn zurück, und wenden wir uns der Öffentlichkeit zu. War zwar der Nationalheld im Verlauf der Zeit etwas aus der Mode gekommen, ja, belächelte man ihn eigentlich bei uns im geheimen als ein Museumsstück, das als Staatsoberhaupt bei Denkmalseinweihungen, Staatsbesuchen und anderen patriotischen Feiern wohl noch dekorativ wirkte, aber doch nicht mehr recht ernst zu nehmen war, so stellte nun seine Erkrankung den schon verblaßten Ruhm glücklich wieder her, voll und ganz: nie war Moeve so populär wie gerade jetzt. Sein Brustbild – er weist das gleiche schräge Lächeln wie Clark Gable auf, während sein Gesicht sonst doch eigentlich mehr an Goethe erinnert – sein Brustbild klebte mit einem Schlag an allen Mauern und hing in allen Zimmern. Die Zeitungen überboten sich mit Artikeln und Sondermeldungen. Ärztekongresse traten zusammen. Streiks um bessere Löhne wurden abgesagt mit dem Hinweis, daß in Anbetracht der Krankheit unseres Nationalhelden materielle Streitigkeiten nicht am Platze seien. Komitees bildeten sich, durch die Straßen zogen Kinder mit Sprechchören, eine Plakette der Pro-Moeve-Gesellschaft wurde verkauft mit der Inschrift: Moeve darf nicht vermodern! Ein Moeve-Fonds wurde gegründet. Kurz, die Aufregung über die in unserer Gegend so seltene und die Phantasie so beschäftigende Krankheit war groß, und daher war es nicht verwunderlich, daß die beiden Invaliden mehr denn gewöhnlich übersehen wurden, daß kein einziges Geldstück in ihren schäbigen Blechteller fiel, wie sie den hoffnungsvollen Weg mitten durch unsere Hauptstadt über endlose Asmit der Polizei umzugehen. Ich bin nicht umsonst Ehrenmitglied des Polizeisportvereins geworden, als ich gegen die Spanier fünf Tore schoß.

DER POLIZIST: Weitergehen.

STRANITZKY: Herr Polizist. Hier befindet sich die Klinik Bethlehem, nicht wahr?

DER POLIZIST: Weitergehen. Der Nationalheld braucht Ruhe. Weitergehen.

STRANITZKY: So ist es gut. Pflichterfüllung bis zum letzten. Ich habe Verständnis dafür. In einem gesunden Staat muß das sein. Sie staunen, Herr Polizist, über meine Worte. Begreiflich. Wir sind noch etwas sehr verlumpt, das gebe ich zu, und besonders mein Freund Anton macht einen wilden Eindruck. Aber bald werden wir die Regierung bilden. Wir sind nämlich dem Moeve seine Freunde und machen einen Krankenbesuch. Ich werde Sie zum Polizeileutnant befördern, Herr Polizist.

DER POLIZIST: Weitergehen.

STRANITZKY *mit Würde:* Ich mache Sie darauf aufmerksam, Herr Polizist, daß Ihr Verhalten einem zukünftigen Minister gegenüber eine Beförderung zum Polizeileutnant nicht rechtfertigt. Ich kann Sie höchstens noch zum Wachtmeister ernennen, jedoch nur, wenn Sie manierlich sind. Sie haben Ihre Chance weitgehendst verpaßt.

DER POLIZIST: Weitergehen.

STRANITZKY: Der will nicht. Trotz der Beförderung. Doch wozu haben wir deine Kraft, Anton, deine zwei Meter zehn? Einfach zugestoßen, so werden du und ich mit meinem Wagen schon zu unserem Nationalhelden kommen. Los, Anton, Los!

Nun schiebt mein Rumpf ein Blinder
Auf einem Schinderkarrn
Zu fordern meine Gage
Komm ich zu euch gefahrn!

Renn, Anton, renn mit meinem Wagen! Immer vorwärts, immer weiter! Der Weg geht schnurgerade, und schon leuchtet die Bethlehemklinik mit weißen Mauern durch die Bäume und Blumen des Parks!

DER ANSAGER: Und so kam es, wie es kommen mußte. Der Blinde, zerfetzt und riesenhaft, rannte in den Park hinein, den Beinlosen vor sich herstoßend, der in seinem Wagen grölte vor Begeisterung, beide ein Bild einer jammervollen und aussichtslosen Anstrengung, das Paradies auf Erden zu erreichen, diese Klinik Bethlehem, die mild vor ihnen durch die Stämme leuchtete, und von allen Seiten eilten die Polizisten herbei, verwirrt durch den seltsamen Anblick der beiden, in begreiflicher Furcht, man habe es auf den Nationalhelden abgesehen.

STIMMEN: Halt! Anhalten!

Energische Pfiffe.

STRANITZKY: Renn weiter, Anton, renn weiter! Nur gradaus, immer gradaus!

DER ANSAGER: Die Szene war peinlich: wie die Kletten hängten sich die Polizisten in ihren blauroten Uniformen an den Riesen, von dem sie nicht ahnen konnten, daß er blind war, und einer sprang ihm auf den Rücken, so daß der Invalide endlich, von der Menge überwältigt, stöhnend zu Fall kam, während der beinlose –

DER ANSAGER: Stranitzky führerlos in seinem Wagen weiterrollte, in einen Graben des Parks geriet und sich überschlug.

EINE STIMME *von ferne:* Kauft Moeve-Plaketten, kauft Moeve-Plaketten!

STRANITZKY: Da liege ich nun ohne Beine mitten in einem Graben voll Blumen und Gras, Heuschrecken und Käfer. Es steht schlimm mit dir Stranitzky, dabei ist alles nur ein Mißverständnis. Bleich wird einmal die Polizei werden, wenn sie erfährt, wie sie mit einem zukünftigen Minister umgegangen ist, bleich und weiß wie die Margeriten, in denen ich liege, denn das schwöre ich: Polizeiminister will ich werden. Polizeiminister, und ob meinen Reformen wird sich die Welt noch wundern. Polizeiminister! Wenn nur dieses Nasenbluten nicht wäre, dieses verfluchte Nasenbluten, schon ganz rot ist der Schmetterling geworden, der mir da im Gesicht herumflattert!

EINE STIMME *von ferne:* Kauft Moeve-Plaketten, kauft Moeve-Plaketten!

DER ANSAGER: Doch als die beiden nun auf den Polizeiposten gebracht wurden, wie man sie nun verhörte, ohne daß jemand klug aus ihnen wurde, so daß man sie schließlich frei ließ, nachdem man ihnen noch zu einer guten Suppe mit Brot verholfen hatte, geschah das große Wunder. J. P. Whiteblacke, Journalist, von der Lyrik herkommend, nahm sich der beiden an. Noch am Nachmittag hatte der Chefredaktor Donner von der «Epoche» – wer liest nicht dieses Blatt – J. P. Whiteblacke mit einer Stimme hinausgedonnert, die – verzeihen Sie die Anspielung, aber sie liegt auf der Hand – wir bei allem Respekt nun doch als ein wenig zu heftig bezeichnen müssen.

CHEFREDAKTOR DONNER: Eine Sensation muß ich haben, eine Sensation, sonst können wir den Betrieb schließen und Hosenträger verkaufen. Etwas Handgreifliches, J. P. Whiteblacke, etwas zum Heulen und Zähneklappern fürs liebe Publikum. Bei der dreimalheiligen Zeitungsschreiberei! Wozu haben wir denn sonst einen so prächtigen aussätzigen Nationalhelden. Damit die Leute an ihn denken, statt die Köpfe mit Streikideen, Kommunismus und anderem unnützen Zeug zu füllen. Man sollte Sie in Druckerschwärze tauchen, mein Herr, und wenn Sie zehnmal der Goethe sind. Da bringt die Illustrierte die erste Abbildung der aussätzigen Zehe, und wir müssen uns mit der zweiten begnügen, kein Hund interessiert sich mehr für den Knochen. «Die Zeit» bringt das erste Interview, das erste, und wir können es nachdrucken! Eine Schlafkrankheitsepidemie bricht unter unseren Lesern aus. Und nun kommt die «Woche» mit ihrer Artikelserie: «Ich leide», von Moeve selber. Auflage vier Millionen. Einpacken, wir können einpacken, ich werde nächstens auch Gedichte schreiben. Und Sie, J. P. Whiteblacke, was bringen Sie, was wagen Sie mir auf den Tisch zu legen? Die Krankheit Baldur von Moeves und ihre Bedeutung für das moderne Geistesleben. Hinaus!

DER ANSAGER: Dies war die Rede des Chefredaktors der «Epoche», Sie haben sich selbst überzeugen können. Es war gräßlich. J. P. Whiteblacke stürzte totenbleich aus der Redaktion. Schon machte er sich auf seine Entlassung gefaßt, schon bereitete er sich vor, seine Verlobung mit Molly Wally auflösen zu müssen – Sie kennen ja die reizende Soubrette der städtischen Bühnen –, da stieß er bei seinem täglichen Gang zur Polizei auf den Vorfall mit den beiden Invaliden, auf diese verworrene Lappalie, die sich im Park der Bethlehemklinik ereignete, und nun geschah das Wunder, von dem wir sprachen: J. P. Whiteblacke hatte eine Idee. Sogar Chefredaktor Donner war angetan, als er von dieser Idee hörte.

CHEFREDAKTOR DONNER: *freundlich:* Sehen Sie, Whiteblackerchen, das ist eine Idee, was da aus Ihrem Köpfchen herangesäuselt kommt. Habe doch gleich gedacht: Wenn sich ein Dichterling anstrengt, kommt mit der Zeit schon etwas heraus aus der eingetrockneten Zitrone. Da wollen wir unsere Verbindungen spielen lassen. Morgen sollen Sie vor Ihrem Moeve stehen und dem kranken Mann mal Ihre Angelegenheit herunterstammeln.

DER ANSAGER: Und so stand denn J. P. Whiteblacke am andern Tag vor unserem Nationalhelden in der Bethlehemklinik – ich brauche Ihnen wohl den amerikanischen Krankenstuhl nicht mehr zu beschreiben, in welchem Baldur von Moeve saß. Von den Krankenschwestern umgaben ihn drei, die Prinzessin von Teuffelen darunter. Von den Ärzten Moderzahn. Der Nationalheld trank Tomatensaft. Seine Stimme klang schmerzlich, doch gefaßt, ganz seiner Haltung entsprechend, wie von jenseits her, von einer Welt, die wir nicht kennen.

DER NATIONALHELD *müde:* Junger Mann, ich leide. Frau Sorge sucht mich heim, die Goethe so trefflich in seinem Faust, zweiter Teil, beschrieb, den ich schon in Finsterwalde las und jetzt zum zwölften Mal.

J. P. WHITEBLACKE: Exzellenz!

Er stirbt fast vor Hochachtung.

DER NATIONALHELD *müde:* Ich habe gekämpft, ich stand unerbittlich bei Saint Plinplin, war voll und ganz diesem Leben und meinem Volk zugewandt, doch jetzt, junger Mann, kommt das andere, das Unaussprechliche.

J. P. WHITEBLACKE: Das Unaussprechliche.

DER NATIONALHELD *müde:* Noch etwas Grapefruitsaft, Prinzessin von Teuffelen, und zur Vesper bereiten Sie Poulet kalt sowie den Château neuf du Pape, ja?

J. P. WHITEBLACKE: Exzellenz, wir sind alle von der Erkrankung Ihres rechten Fußes –

DER NATIONALHELD *ärgerlich:* Der linke Fuß, der linke ist krank, Donnerwetter noch einmal, die große Zehe vom linken Fuß.

J. P. WHITEBLACKE: Verzeihung Exzellenz. *Er ist sehr verwirrt.* Der linke, natürlich Exzellenz, der linke Fuß. *Er reißt sich zusammen.* Exzellenz. Wir sind alle von der Erkrankung des *linken* Fußes erschüttert. Durch und durch. Das ganze Volk ist erschüttert und zum erstenmal seit langem wieder geeint. Die Erkrankung Eurer Exzellenz ist eine politische Tat. Diese Tat gilt es nun auszubauen. Je mehr das Volk am Leiden Eurer Exzellenz teilnimmt, um so besser, um so positiver.

DER NATIONALHELD: Seit meiner Erkrankung schrumpft die Kommunistische Partei zusammen, junger Mann.

J. P. WHITEBLACKE: Gänzlich.
DER NATIONALHELD: Keine Streiks, keine Lohnforderungen.
J. P. WHITEBLACKE: Frappant.
DER NATIONALHELD: Man interviewte mich.
J. P. WHITEBLACKE: Wirkungsvoll.
DER NATIONALHELD: Die aussätzige Zehe wurde photographiert.
J. P. WHITEBLACKE: Sie ließ uns erschauern.
DER NATIONALHELD: Man bildete mich ab im Kreis meiner besorgten Familie.
J. P. WHITEBLACKE: Wir sorgten mit.
DER NATIONALHELD: Von weinenden Schulkindern umgeben.
J. P. WHITEBLACKE: Wir weinten mit.
DER NATIONALHELD: Ich bin daran, ein Buch zu schreiben: «Ich leide.»
J. P. WHITEBLACKE: Wir leiden mit.
DER NATIONALHELD: Was wollen Sie denn noch von mir todkrankem Mann? Es ist doch alles in Ordnung.
J. P. WHITEBLACKE: Exzellenz. Die Erfolge sind beträchtlich, kein Zweifel. Nur ein Dokument fehlt, Exzellenz, das entscheidende Moment der Liebe und der Verehrung der Geringsten. Dem ist abzuhelfen. Geruhen Exzellenz in der Bethlehemklinik zu empfangen.
DER NATIONALHELD: Empfangen? Aber gestern habe ich doch den Frauenverein empfangen?
J. P. WHITEBLACKE: Gewiß.
DER NATIONALHELD: Den Philologenkongreß.
J. P. WHITEBLACKE: Zugegeben.
DER NATIONALHELD: Heute die Eisenbahner und Bankangestellten.
J. P. WHITEBLACKE: Zweifellos.
DER NATIONALHELD: Morgen die Freimaurer.
J. P. WHITEBLACKE: Selbstverständlich.

DER NATIONALHELD: Das Episkopat und die Philatelisten!

J. P. WHITEBLACKE: Auch dies sind politische Taten, wer bezweifelt es. Doch, nun geht es um Tieferes, Größeres, Exzellenz. *Mit Wärme.* Geruhen Exzellenz zwei Invalide zu empfangen. Einen Beinlosen und einen Blinden.

DER NATIONALHELD *verwundert:* Zwei Invalide?

J. P. WHITEBLACKE: Zwei blessierte Vaterlandsverteidiger, die Ihnen ihr Mitleid auszudrücken wünschen. Bringen Exzellenz dieses Opfer. Die Öffentlichkeit wäre begeistert über diese Begegnung.

DER ANSAGER: Dies J. P. Whiteblackes Idee. Das Gesicht des Nationalhelden hellte sich zum Glück nach der Verdüsterung wieder auf, die J. P. Whiteblacke durch seine Verwechslung des rechten mit dem linken Bein heraufbeschworen hatte, und Baldur von Moeve erklärte sich nach einigem Zögern einverstanden. Sowohl die «Epoche» als auch der Rundfunk, der sich dem Unternehmen anschloß, versprachen sich von der zu erwartenden, überaus rührenden Szene viel. Man war überzeugt, damit der Pro Moeve-Bewegung einen neuen Antrieb zu geben, lief sie doch Gefahr, etwas abzuflauen; dazu kam noch, daß sich die Ärztekonferenz nicht recht über den Aussatz des Nationalhelden einigen konnte, ja, daß sogar Stimmen laut wurden, die ihn bezweifelten, doch reden wir nicht mehr darüber. Wer wirklich patriotisch denkt, glaubt an Moeves Aussatz, das ist doch klar. J. P. Whiteblackes Aufgabe war es nun, die beiden Invaliden aufzusuchen. Der Journalist machte sich auf den Weg. Industrieviertel, in der Nähe der Seifenfabrik Huber. Mozartstraße vierhundertsiebenundzwanzig, fünfter Stock. Mansarde vierzehn. Vor der Haustüre der verrostete Wagen des Beinlosen. Das Treppenhaus roch unten nach Bohnen und Speck, in der Mitte nach Sauerkraut, weiter oben machten sich Heringe bemerkbar. Kindergeschrei.

Kindergeschrei.

DER ANSAGER: Der betrunkene Herr mit Vollbart, dessen Beruf niemand weiß.

DER BETRUNKENE *grölend:* Die Luise, so wunderschön wie diese.

DER ANSAGER: Später Fräulein Müller, Luise Müller, deren Beruf alle wissen, begleitet – schweigen wir von dieser Szene. Durch ein zerbrochenes Fenster fällt die Abendsonne. Das Radio im vierten Stock spielt den «Tod und das Mädchen» von Schubert.

«Der Tod und das Mädchen» von Schubert.

DER ANSAGER: Dazu haben Korbmachers Streit, wie üblich um diese Zeit.

KORBMACHER: Du Ratte! Du Nachteule!

DER ANSAGER: Dann die Mansarde Nummer vierzehn, ein Raum, den wir schon kennen: auf der einen Matratze der blinde Marinetaucher Anton, auf der andern der beinlose Fußballspieler Stranitzky, ferner ein wackliger Tisch irgendwo, etwas Geschirr, ein Krug mit Wasser.

J. P. WHITEBLACKE: Mein Name ist Whiteblacke. J. P. Whiteblacke. Ich komme von der Presse. Sie sind ohne Zweifel Herr Strapitzky?

STRANITZKY: Stranitzky. Adolf Joseph Stranitzky, der bekannte Fußballer, Sie wissen, der gegen die Spanier das Ehrentor erzielte. Und dies mein Freund Anton, ein ehemaliger Marinetaucher.

J. P. WHITEBLACKE: Sie haben gestern abend vor der Bethlehemklinik den Wunsch geäußert, Herr Stranitzky, unseren allseits geliebten Nationalhelden Baldur von Moeve aufzusuchen, um ihm Ihre Verehrung auszudrücken?

STRANITZKY *würdig:* Um ihm meine unbedingte Verehrung auszudrücken, mein Herr.

J. P. WHITEBLACKE: Sie wurden von der Polizei leider verhindert –

STRANITZKY *würdig:* Ein Mißverständnis.

J. P. WHITEBLACKE: Eben. Baldur von Moeve ist bereit, Sie und Ihren blinden Kameraden übermorgen zu empfangen.

STRANITZKY *verdattert:* Mein Gott.

J. P. WHITEBLACKE: Um zehn Uhr vormittags.

STRANITZKY *verstört:* Um zehn Uhr vormittags.

J. P. WHITEBLACKE: Der Empfang wird durch den Rundfunk nach den Nachrichten im Echo der Zeit übertragen und kommt auf die erste Seite der «Epoche». Mit Abbildungen.

STRANITZKY *dumpf:* Im Rundfunk und in der «Epoche». Mit Abbildungen.

J. P. WHITEBLACKE: Um neun Uhr dreißig übermorgen werde ich Sie im Buick Chefredaktor Donners hier in der Mozartstraße abholen, meine Herren.

STRANITZKY *benommen:* Mit einem Buick.

J. P. WHITEBLACKE: Dies, meine Herren, bin ich beauftragt, Ihnen im Namen Baldur von Moeves mitzuteilen. Wir sehen uns übermorgen wieder, am größten Tag Ihres Lebens.

STRANITZKY *immer noch benommen:* Übermorgen, am größten Tag unseres Lebens. Mit einem Buick.

DER ANSAGER: Dies der Besuch, den J. P. Whiteblacke den beiden Invaliden machte, ein Besuch, der sich bei der übertriebenen Hoffnung, die Strapitzky –

STRANITZKY *bescheiden:* Stranitzky.

DER ANSAGER: Stranitzky auf Moeve setzte, in der Folge nur verhängnisvoll auswirken konnte. Sie werden es sehen. Da saßen denn die beiden, der frühere Taucher und der einstige Fußballspieler, in ihrer armseligen Mansarde im Licht einer riesenhaften, roten Abendsonne, die sich eben anschickte, hinter das Gebäude des Schlüpferkonzerns zu sinken und schwiegen. Ein Wunder war geschehen, nur das wußten sie und falteten die Hände vor ihrem großen, abenteuerlichen Glück. *Es klopft.*

MARIE: Herr Stranitzky! Herr Anton!
STRANITZKY: Die Marie. Treten Sie ein, Fräulein Marie.
MARIE: Sie sind totenbleich, Herr Stranitzky, und der Anton wackelt mit seinem Kopf hin und her.
STRANITZKY: Er kann es eben immer noch nicht fassen, der Anton, Fräulein Marie, denn wir sind vom Moeve eingeladen worden, ihn übermorgen um zehn zu besuchen. Mit einem Buick.
MARIE *schüchtern:* Herr Stranitzky.
STRANITZKY: Ich habe es immer gefühlt, daß etwas Außerordentliches kommt. Schon gestern, wie uns die Polizei Brot und Suppe gab, habe ich gedacht: Die haben eben eine Ahnung, daß es mit uns etwas Besonderes ist, und nun, mit einem Schlag, sind wir in die Bethlehemklinik eingeladen. Jetzt werde ich mit Moeve sprechen, und ich werde Polizeiminister, Fräulein Marie, das habe ich mir vorgenommen, wie ich im Graben lag.
MARIE: Aber Herr Stranitzky –
STRANITZKY: Nicht mehr Herr Stranitzky, Sagen Sie mir Adolf Joseph. Denn nun sind Sie meine Braut.
MARIE *schüchtern:* Adolf Joseph.
STRANITZKY: Ich werde mir nun auch Beine machen lassen, nicht staatliche, nein, private, so ein Luxus wie dem Moeve sein Krankenstuhl. Ein Radio darin, gerade über dem linken Knie, und unten an der Fußsohle kleine versenkbare Räder mit einem Motörchen, um herumzufahren, wenn ich keine Lust zum Gehen habe.
MARIE: Stranitzky.
STRANITZKY: Und zu Ihnen, Marie, wird man Frau Minister sagen.
MARIE: Ich will das ja gar nicht, Stranitzky, das habe ich ja alles gar nicht nötig, und auch der Anton will das nicht, der sagt ja kein Wort und schüttelt den Kopf. Wenn ich nur dich habe, und die staatlichen Beine tun's auch. Du weißt ja noch gar nicht, was der Moeve von dir will, wer

kennt auch von uns einen Nationalhelden. Adolf Joseph, ich will arbeiten, das versprech' ich dir, für dich und für Anton, und ich werde deine Frau sein, das geniert mich doch nicht, daß du keine Beine hast.

STRANITZKY: Kommt nicht in Frage mit arbeiten. Mit dem Schlüpferkonzern ist es aus. Frau Ministerin sollst du werden und nichts anderes. Und der Anton soll ebenso hübsche Krankenschwestern bekommen wie der Moeve, samt einer Prinzessin von Teuffelen. Ich habe noch meinen Stolz.

STIMMEN: Stranitzky! Hoch Stranitzky!

STRANITZKY: Das ist der Herr Korbmacher von unten und Herr Fleischer vom dritten Stock, der Herr mit dem Vollbart und die Fräulein Luise.

KORBMACHER: Stranitzky, der Herr von der Presse hat es meiner Frau gesagt: Sie sind eingeladen zum Moeve. Das ganze Quartier weiß es. Gratuliere!

FLEISCHER: Da sagen Sie's hoffentlich dem Nationalhelden, wie es uns kleinen Leuten geht? Das ist jetzt Ihre Pflicht, Mann!

KORBMACHER: Wie niedrige Löhne wir in der Seifenfabrik haben!

FRÄULEIN LUISE: Wie schlecht die feinen Herren zahlen!

DER HERR MIT DEM VOLLBART: Wie teuer der Schnaps geworden!

STRANITZKY: Alles werde ich dem Moeve sagen. Meine Rede wird im Radio übertragen, da können Sie's hören. Leute! Bewohner der Mozartstraße! Ein großer Moment ist gekommen, ein patriotischer Moment. Unser Nationalheld der Held von Finsterwalde und Saint Plinplin, wurde durch seinen Aussatz zur Einsicht gebracht, daß man sich zusammentun muß, die Oberen und die Unteren, die Reichen und die Armen. Deshalb hat er mich, den Invaliden Stranitzky, zu sich gerufen, mit mir zu beraten.

DIE LEUTE: Hört! Hört!

STRANITZKY: Wichtige Umwälzungen stehen bevor.
DIE LEUTE: Bravo!
STRANITZKY: Laßt uns daher diese Tage festlich begehen.
DER HERR MIT DEM VOLLBART: Pflaumenschnaps werden wir trinken!
KORBMACHER: Burgunder!
FLEISCHER: Poulets werden wir essen!
FRÄULEIN LUISE: Torten!
STRANITZKY: Ich werde alles bezahlen!
MARIE *ängstlich:* Stranitzky! Wenn das nur gut geht, mein Stranitzky!
DER ANSAGER: Und so kam denn der erwartete Tag. Der Fußballspieler hatte sich würdig vorbereitet. Die löcherigen Matratzen, wir kennen sie ja, der wacklige Tisch, der alte Wasserkrug waren verschwunden, statt dessen standen zwei Divane in der Mansarde – gekauft auf Kredit – weiche Sessel auf Kredit – ein Jugendstiltisch und ein Rundfunkapparat – ebenfalls auf Kredit – von dem Wein, von den Früchten, und was sonst noch zur Feier bereit stand, – auch auf Kredit – ganz zu schweigen. Punkt neun Uhr dreißig fuhr J. P. Whiteblacke mit dem Buick vor. Die halbe Mozartstraße war versammelt. Unter Hochrufen wurde der Beinlose in den Wagen gehoben. Er trug seine alte Soldatenuniform.
DIE MENGE: Hoch! Hoch Stranitzky!
DER ANSAGER: Neben ihm saß der Blinde im blauen Kleid der Marine. Dann fuhren sie durch die Straßen unserer Hauptstadt, an der Kathedrale des heiligen Sebastian vorbei. Die schwarzumflorten Riesenbilder des Nationalhelden sahen ernst auf den Buick herunter, an den Straßenecken fand Moeves «Ich leide» reißenden Absatz. Ein Riesengeschäft, allein die «Life» bot für das Übersetzungsrecht zwei Millionen Dollar. Fünf vor zehn bog der Wagen in den Park der Bethlehemklinik ein. Der Chefarzt Moderzahn erwartete sie am Eingang des Spitals. Man

hob den Beinlosen in einen Krankenstuhl, den der Marinetaucher vor sich her schob. Die Prinzessin von Teuffelen, die den beiden Invaliden den Weg wies, weinte. Der Zug erreichte die große Halle. Auf dem Kamin standen in kostbaren Rahmen die Bilder Ihrer Majestät, die Königin Elisabeth von England, den Thronfolger auf dem Schoß, sowie des amerikanischen Präsidenten, dazwischen ein goldenes Kreuz, vom Nuntius überreicht, mit der Inschrift: Leide für uns. Der Nationalheld befand sich in einem amerikanischen Krankenstuhl. Wie er die beiden Invaliden erblickte, legte er Goethes Faust – die Inseldünndruckausgabe – auf die Seite und lächelte sein berühmtes schräges Lächeln, wenn auch etwas schmerzlicher als sonst. Ihm zu Füßen balgten sich zwei junge Löwen, ein Geschenk des untröstlichen Kaisers von Abessinien. Im Hintergrund standen die Ehrenkrankenschwestern, die Ärzte und die Assistenten, ebenso einige Mitglieder des Kabinetts. Es war still, feierlich still. Die Kinooperateure, die Photographen, die Radioleute arbeiteten beinahe geräuschlos. J. P. Whiteblacke begann zu sprechen.

J. P. WHITEBLACKE: Exzellenz. Ich habe die Ehre, Ihnen zwei einfache Männer aus dem Volke vorzustellen. Herr Strawitzky.

STRANITZKY *bescheiden:* Stranitzky. Adolf Joseph Stranitzky.

J. P. WHITEBLACKE: Stranitzky und Herr Anton.

DER NATIONALHELD: Zwei Vaterlandsverteidiger. Freut mich. Waren in Finsterwalde? Wurden verwundet in Saint Plinplin?

STRANITZKY: In Usbekistan, Herr Moeve, und der Anton in der Mündung vom Irawadi.

Gedämpftes Lachen.

J. P. WHITEBLACKE *flüsternd:* Exzellenz, Stripitzky, Exzellenz. Man sagt Exzellenz zu unserem Nationalhelden.

DER NATIONALHELD: Aber junger Freund. Warum soll

denn dieser brave Mann Exzellenz zu mir sagen? Sind wir doch Kameraden.

ALLE: Bravo. Hoch unser Nationalheld.

EINE STIMME AUS DEM HINTERGRUND: Welche Menschlichkeit!

Gedämpftes Beifallklatschen.

DER NATIONALHELD: Unsere Vaterlandsverteidiger haben die Beine verloren und die Augen, und ich bin aussätzig. Da haben wir schließlich alle etwas zu leiden.

Gedämpftes Beifallklatschen.

DER NATIONALHELD: Da heißt es denn für uns drei: Kopf hoch, Zähne zusammenbeißen und unsere Pflicht erfüllen dem Vaterland gegenüber.

Gedämpftes Beifallklatschen.

STRANITZKY: Herr Moeve, Sie haben mir aus dem Herzen gesprochen. Lassen Sie uns daher auf den Sinn unserer Zusammenkunft kommen.

J. P. WHITEBLACKE *bestürzt:* Aber mein guter Mann!

STRANITZKY: Herr Nationalheld. Wir sitzen uns in Krankenstühlen gegenüber, Sie, der große Mann von Saint Plinplin und Finsterwalde, der Ministerpräsident unseres Landes, aussätzig bis auf die Knochen, und ich, ein ehemaliger Fußballspieler, ein nutzloser Rumpf.

J. P. WHITEBLACKE: Aber mein guter –

STRANITZKY: Das sind Tatsachen, an denen es nichts zu rütteln gibt. Doch, Herr Nationalheld, wir schauen den Tatsachen ins Auge, das steht vor der Geschichte fest: Sie, indem Sie mich gerufen haben, und ich, indem ich Ihrem Ruf folgte. Sie gehören nun zu uns, zu den Tausenden ohne Beine, ohne Arme, ohne Augen, die in unserem Vaterlande leben, mit Stolz nehmen wir Sie in unsere unabsehbaren Reihen auf.

J. P. WHITEBLACKE: Aber mein –

STRANITZKY: Herr Nationalheld! Die Nation blickt in diesem unerhörten Moment auf uns. Der Wendepunkt der Weltgeschichte ist gekommen. Sie haben die Macht, die Organisation, die Presse, die Armee hinter sich und ich die Ohnmacht, die Armut, den Hunger. Sie sind in aller Munde, mein Name ist vergessen. Dennoch sind wir nicht gegeneinander, sondern füreinander.

J. P. WHITEBLACKE: Aber –

STRANITZKY: Nichts gibt Ihnen Ihre Zehe, nichts mir meine Beine wieder. Lassen wir diese Organe fahren, brauchen wir unsere Köpfe. Die hat jetzt unser Volk nötig. Unser Leiden können wir nicht ändern, wohl aber den Grund unseres Leidens. Sie haben in Abessinien eine armselige Hütte besucht: auch in unserem Lande gibt es armselige Hütten. Laßt uns dafür sorgen, daß es sie nirgends mehr gibt. Ich wurde durch den Krieg ruiniert. So soll es keinen Krieg mehr geben. Wir sind beide auf die Hilfe unserer Mitbürger angewiesen. So soll allen Mitbürgern geholfen werden. Die Pro-Moeve-Stiftung für alle, Herr Nationalheld. Was eine Generation von Sportlern, Vegetariern und Abstinenten, von kerngesunden Menschen nicht vermochte, den Frieden dieser Welt, werden wir Sieche, Halbierte, Zusammengehauene vermögen!

J. P. WHITEBLACKE: Aber mein –

STRANITZKY: Wir werden zusammen eine Regierung bilden, Herr Nationalheld. Das Naheliegendste, ich weiß. Ich stelle mich als Polizeiminister zu Ihrer Verfügung. Ich bringe gern das Opfer. Ich bin bereit, ebenfalls das Innere zu übernehmen. Auch das Außenministerium, falls Sie es wünschen. Anton die Finanzen und die Kirche. Nie ist eine Regierung unter günstigeren Umständen gebildet worden, Herr Nationalheld.

J. P. WHITEBLACKE: Aber mein guter –

STRANITZKY: Sie sind ergriffen, Herr Nationalheld. Sie sind demnach einverstanden. Ich sehe es aus Ihrem Antlitz, aus Ihrem Hin- und Herrutschen auf dem amerikanischen Krankenstuhl. Doch Geduld. Morgen sehen wir uns wieder. Den heutigen Tag, Herr Nationalheld, will ich mit meinen Freunden begehen, mit den einfachen Leuten der Mozartstraße.

J. P. WHITEBLACKE: Aber mein guter Mann!

DER NATIONALHELD *verlegen:* Hat mich gefreut. Wünsche so wackeren Vaterlandsverteidigern das Beste.

STRANITZKY: Morgen, Herr Nationalheld, werde ich Ihnen mein Regierungsprogramm vorlegen, und ich bitte Sie, mich und Anton in der Kathedrale des heiligen Sebastian durch den Erzbischof vereidigen zu lassen, wie es unsere altehrwürdige Tradition verlangt.

J. P. WHITEBLACKE: Aber mein guter –

DER NATIONALHELD *schwach:* Gefreut. Hat mich gefreut. Schon Goethe. Überaus gefreut. Die Bilder, Prinzessin von Teuffelen, die Bilder, ja?

DER ANSAGER: Dies ist die Begegnung des beinlosen Fußballspielers mit unserem Nationalhelden. Das traurige Ende ist bald erzählt. Noch händigte die Prinzessin von Teuffelen den beiden Invaliden je ein Bild Moeves aus, mit eigenhändiger Unterschrift, darstellend, wie er auf dem einen in Finsterwalde litt und auf dem andern in Saint Plinplin ausharrte; dann schaffte man die beiden vom erschöpften Moeve fort, den Moderzahn ins Bett brachte. Der Fußballspieler triumphierte. Das peinliche Schweigen der Gesellschaft beachtete er nicht. Er sah sich schon als Minister. In der Mozartstraße, wohin der Buick ihn und Anton zurückbrachte, wurde er mit Begeisterung empfangen. In der Mansarde begann ein wildes Fest, das den ganzen Tag über dauerte. Gemeinsam erwartete man die Abendnachrichten im Rundfunk. Zu Fräulein Luise und dem Herrn mit dem Vollbart, zu Korbmacher und Fleischer, zu dem Fräulein Marie, das angstvoll Stranitzky umschlungen hielt, hatten sich die Herren Seewein und Baß gesellt. Von Seewein stammten die Diwans, der Jugendstiltisch und die weichen Sessel, und von Baß stammte der Rundfunkapparat, auf welchem die beiden eigenhändig unterschriebenen Porträts Baldur von Moeves thronten. Das Vertrauen, das der ehemalige Fußballspieler in den Nationalhelden setzte, war unermeßlich.

DER HERR MIT DEM VOLLBART: Nichts als Schnaps, den ganzen Tag trinke ich nichts als Schnaps zur Feier der Politik! Es lebe der Schnaps!

FLEISCHER: Der Schinken!

SEEWEIN: Die Poulets!

KORBMACHER: Die Moselweine!

BASS: Der Burgunder!

FRÄULEIN LUISE: Die Torten!

FLEISCHER: Jetzt kommt's. In drei Minuten. Das Echo der Woche!

STRANITZKY *bewegt:* Meine liebste Braut Marie, mein Freund Anton, liebe Freunde. Wir wollen des Mannes gedenken, dem wir unser Glück verdanken: Baldur von Moeve. Er war tapfer in Finsterwalde, heldenhaft in Saint Plinplin, wer zweifelt daran, aber am größten war er heute morgen um zehn. Ich glaubte an ihn, und man belächelte meinen Glauben. Doch Moeve bewährte sich. Nun darf ich weiter glauben, und auch ihr dürft es. Wir sind Zeitgenossen eines wahren Nationalhelden, eines Mannes, der die Politik zu erneuern wagte. Dazu braucht es Mut, meine Freunde, Menschlichkeit und Liebe: Es lebe unser Baldur von Moeve.

ALLE: Hoch Moeve.

FLEISCHER: Zuerst kommt der Wetterbericht.

STRANITZKY: Wir haben durchgerungen, meine Freunde. Noch eine Nacht in der Mansarde, und Fräulein Marie, Anton und ich beziehen unsere Appartements in den «Vier Jahreszeiten». Aber wir werden nie vergessen, woher wir stammen. Das wollen wir euch hier feierlich versprechen.

ALLE: Feierlich versprechen.

Sie stoßen an.

FLEISCHER: Nun die Wasserstandsmeldungen.

STRANITZKY: Meine Freunde, die Welt wird geändert. Herr Korbmacher schafft die Armut ab und Herr Seewein die Armee.

ALLE: Wir schaffen alles ab.

STRANITZKY: Der Herr mit dem Vollbart übernimmt die Banken.

ALLE: Er gewährt allen Kredit.

STRANITZKY: Herr Fleischer die Eisenbahnen.

ALLE: Wir fahren alle, ohne zu zahlen.

STRANITZKY: Und dem Fräulein Luise übergeben wir ein Rokokohäuschen in einem französischen Park mit Perserteppichen und Kirschbaumbettchen, mit Mahagonisesselchen und Vorhängen aus Brüsseler Spitzen, mit japanischen Täßchen, chinesischen Väschen und Meißener Porzellanfigürchen, mit silbernem und goldenem Besteck und Plüschsofachen.

ALLE: Wir sind alle ihre Kunden.

FRÄULEIN LUISE: Das Paradies ist angebrochen.

ALLE: Das Paradies der kleinen Leute.

KORBMACHER: Es hieß, es komme erst in dreimal hunderttausend Wochen.

ALLE: Das Paradies.

SEEWEIN: Es komme ewigkeitenlangsam nur zu uns gekrochen.

ALLE: Das Paradies.

DER HERR MIT DEM VOLLBART: Da ist es plötzlich unermeßlich über uns gebrochen.

BASS: Und dies nicht etwa morgen erst, wenn's dämmert, sondern heute.

ALLE: Das Paradies der kleinen Leute!

FLEISCHER *aufgeregt:* Da ist es!

STRANITZKY: So hört denn meine Ernennung zum Polizeiminister.

ALLE: Hoch!
STRANITZKY: Zum Innen- und Außenminister.
ALLE: Hoch!
STRANITZKY: Wie Anton die Kirche und die Finanzen übernimmt.
ALLE: Hoch!

Das Fest hat seinen Höhepunkt erreicht.

EINE FRAUENSTIMME *im Radio:* Sie hören im Echo der Zeit: Besuch beim Nationalhelden. Reporter: J. P. Whiteblacke.
DER HERR MIT DEM VOLLBART: Ruhe!
FRÄULEIN LUISE: Lauter einstellen.
KORBMACHER: Still!
J. P. WHITEBLACKE *im Radio:* Wir sind mit unserem Mikrophon in der Bethlehemklinik, liebe Hörer. Wir wohnen einem feierlichen Akt bei. Nicht einem hohen Staatsakt, dem unser Nationalheld wie so oft die Weihe gegeben hätte, sei es, als er den Frieden von Königen unterzeichnete, oder den Vertrag von Pitangui, nein, einem Akt der Nächstenliebe. Baldur von Moeve empfängt zwei einfache Leute aus dem Volke, zwei Mitmenschen, die unter der Unbill der Zeit besonders schwer leiden müssen, zwei Invalide. Dieser Empfang ist denn auch für unseren Nationalhelden so bezeichnend, denn wer wüßte besser, was leiden heißt, als gerade er, unser so tragisch erkrankter Nationalheld. So verkehrt er denn mit diesen einfachen Soldaten, die in fremden Landen verwundet worden sind, im Tone einer herzlichen – Baldur von Moeve selbst brauchte dieses Wort – Kameradschaft.
DER NATIONALHELD *im Radio:* Sind wir doch Kameraden.
STIMMEN *im Radio:* Bravo! Hoch lebe unser Nationalheld.
EINE STIMME *im Radio:* Welche Menschlichkeit.

Gedämpftes Beifallklatschen.

DER NATIONALHELD *im Radio:* Unsere Vaterlandsverteidiger haben die Beine verloren und die Augen und ich bin aussätzig. Da haben wir schließlich alle etwas zu leiden.

Gedämpftes Beifallklatschen.

DER NATIONALHELD *im Radio:* Da heißt es denn für uns drei: Kopf hoch, Zähne zusammenbeißen und unsere Pflicht erfüllen dem Vaterland gegenüber.

Gedämpftes Beifallklatschen.

STRANITZKY *im Radio:* Herr Moeve, Sie haben mir aus dem Herzen gesprochen.

STRANITZKY *stolz:* Das bin ich.

J. P. WHITEBLACKE *im Radio:* Nichts ist wohl bezeichnender für die tiefe Liebe, die das Volk unserem Nationalhelden entgegenbringt, als diese treuherzige Antwort eines Invaliden. So rührte denn auch dieser schlichte Empfang alle aufs tiefste. Unauslöschlich wird er den beiden Invaliden im Gedächtnis haften bleiben. Lernten sie doch in unserem Nationalhelden einen Mann kennen, der auch für sie sorgt, trotz seiner Krankheit, die uns alle in Atem hält. Einer sorgt für alle, alle sorgen für einen. Nie wurde dieses Wort wahrer als diesen Morgen in der Bethlehemklinik. So durften die beiden Invaliden denn am Schlusse mit leuchtenden Augen eine Photographie unseres Nationalhelden entgegennehmen, dessen gütige, tapfere, vom Leiden gezeichnete Stimme Sie noch einmal hören.

DER NATIONALHELD *im Radio:* Gefreut. Hat mich gefreut. Schon Goethe. Überaus gefreut. Die Bilder, Prinzessin von Teuffelen, die Bilder, ja?

EINE FRAUENSTIMME *im Radio:* Sie hörten im Echo der Woche eine Aufnahme einer kleinen Feier in der Bethlehemklinik. Reporter war J. P. Whiteblacke. Wir kommen nun zur Entwicklung des Schlachtviehmarktes, ein ernstes Gespräch zwischen Oberschlächter Weißbusch und Nationalrat –

FLEISCHER *empört:* Wo ist denn die Rede?
KORBMACHER: Schwindel!
FRÄULEIN LUISE *schrill:* Stranitzky hat gelogen!
DER HERR MIT DEM VOLLBART: Fauler Zauber.
FLEISCHER: Und wer zahlt den Schinken?
FRÄULEIN LUISE: Die Torten?
KORBMACHER: Die Poulets? Den Champagner?
DER HERR MIT DEM VOLLBART: Den Schnaps?
SEEWEIN: Die Möbel?
BASS: Den Rundfunkapparat?
ALLE: Betrüger! Gauner!

Riesenlärm.

DER ANSAGER: Der Tumult war ungeheuer, als sich die Hoffnung des Invaliden in Nichts auflöste. Herr Korbmacher, leider müssen wir es sagen, zerschmetterte auf dem Schädel des ehemaligen Fußballspielers Moeves Bild von Saint Plinplin, Fleischer jenes von Finsterwalde, der Herr mit dem Vollbart schlug mit der Champagnerflasche zu, Seewein und Baß mit den Sesseln, bis der Blinde sie alle zur Seite warf. Der Riese nahm den Beinlosen wie ein Kind auf die Arme, raste mit ihm die vertraute Treppe hinunter, fünf Stockwerke, und verschwand in der Nacht, bevor die weinende Marie folgen konnte.
MARIE *verzweifelt:* Ich will doch deine Frau werden, Adolf Joseph. Du brauchst gar kein Minister zu sein. Ich will für dich arbeiten, ich will für dich sorgen. Stranitzky, mein Stranitzky!
EIN VERKÄUFER: Moeve-Plaketten! Kauft Moeve-Plaketten!
STRANITZKY: So ist es recht, Anton. Wie ein Held hast du mich gerettet. Weiter, immer weiter. Ich war ein Narr, ich wollte Minister werden, und nun bin ich ein beinloser Fußballspieler geblieben. Geradeaus, immer nur geradeaus! Die ganze Mozartstraße entlang, an der Seifenfabrik Huber vorbei gegen den Schlüpferkonzern.

Ich war ein Invalider
Wohl aus Usbekistan
Da schwoll dem Held von Plinplin
Die große Zehe an

Ich faßte wilde Hoffnung
Aus unser beider Not
Auf aller Menschen Frieden
Auf Arbeit und auf Brot.

EIN VERKÄUFER: Moeve-Plaketten! Kauft Moeve-Plaketten!

STRANITZKY:
Doch ach, es gibt auf Erden
Wohl zweierlei Mitleid
Ein großes, interessantes
Und eins im Alltagskleid

Das große für den Helden
Das kleine war für mich
O wilde goldne Hoffnung
Wie liebte ich doch dich.

EIN ZEITUNGSVERKÄUFER: «Die Epoche»! Nationalheld empfängt zwei Invalide! «Die Epoche»!

ANTON:
Und meine Augen sahen
Das, was ihr nie gesehn
Versunkne, fremde Schiffe
Der Kraken tückisch Spähn

Da, auf dem Irawadi
Verlor ich mein Gesicht
Ich sah nicht mehr die Meere
im schattengrünen Licht.

EIN VERKÄUFER: Moeve-Plaketten! Kauft Moeve-Plaketten!

ANTON:
Und was ich einst gesehen
Das bleibt bei mir als Bild
Medusen und Korallen
Der Haifisch bös und wild

Doch wilder als der Abgrund
Ist nur der Menschen Brust
Verloren sind die Toren
Die solches nicht gewußt.

MARIE *von ferne:* Stranitzky, mein Stranitzkylein!
DER ANSAGER: So zogen sie dahin. So verschwanden sie in der Nacht unserer Stadt. Als der Morgen kam, zog man den Wagen aus dem Kanal. Der Beinlose hatte den Blinden in den gemeinsamen Untergang gesteuert. Die Leichen der beiden wurden nicht gefunden, der Kanal mußte sie schon ins Meer getragen haben. So kam es zur letzten Begegnung der Invaliden mit unserem Nationalhelden. Moeve nämlich kehrte im Mai des nächsten Jahres von einem längeren Aufenthalt an der Riviera in unsere Hauptstadt zurück. Er war rosig und wohlbeleibt, sichtlich gesund, denn dank einem amerikanischen Präparat hatte Moderzahn den Aussatz zwar nicht ganz beseitigen, aber doch eindämmen können. Beim Empfang in unserer Hauptstadt, angesichts einer begeisterten Bevölkerung, als sich der Festzug über die Kanalbrücke gegen die Kathe-

drale des heiligen Sebastian bewegte, wurden die beiden Invaliden wieder sichtbar. Sie kamen vom Meer her, von der Flut getragen, zwei riesenhafte Wasserleichen, der Fußballspieler auf dem Rücken des Blinden, Korallen und Tang auf den gebleichten Schädeln und Seesterne und Muscheln in den Augenhöhlen. So schwammen sie im Abendrot in unsere Stadt hinein, und der Beinlose hatte seine trotzige Faust gegen den Nationalhelden gereckt. Dann versanken sie von neuem in den Fluten. Vergebens suchte die Polizei bis spät in die Nacht mit Stangen, dem Skandal ein Ende zu machen. Die Ebbe mußte die Gespenster wieder in den Ozean getragen haben. Dies, meine Damen und Herren, ist das Ende der Geschichte des Invaliden Strapatzky.

HERKULES

UND DER STALL DES AUGIAS

DIE STIMMEN

Polybios
Herkules
Dejaneira
Augias
Erster Chor
Zweiter Chor
Dritter Chor
Die Schulkinder
Volksschullehrer Schmied
Xenophon
Phyleus
Kambyses
Pentheus vom Säuliboden
Kadmos von Käsingen
Aeskulap von Milchiwil
Kleisthenes vom mittlern Grütt
Tantalos
Die Zuschauer
Stimmen

POLYBIOS *berichtet:* Nach der Erzählung des guten alten Gustav Schwab soll die fünfte Arbeit, die Herkules im Dienste des Königs Eurystheus verrichten mußte, darin bestanden haben, daß er den Stall des Augias in einem Tage ausmistete. Nun kommt es mir nicht zu, etwas über einen deutschen Dichter zu sagen. Ich bin Grieche. Ich heiße Polybios und stamme aus Samos. Da jedoch Gustav Schwab seine Erzählung auf die Berichte griechischer Dichter hin verfaßte, kommt es mir zu, etwas über die Dichter meines Volkes zu sagen. Ich beschäftige als Sekretär unseres Nationalhelden Herkules deren einige. Gewiß, Homer und Hesiod, die repräsentabelsten Dichter unseres Jahrhunderts, konnten wir uns nicht leisten, das überstieg bei weitem unser Budget, die sechsundzwanzig Verse im zwölften Gesang der Odyssee kamen teuer genug zu stehen: Die Dichter, mit denen ich mich zum täglichen Bedarf der Propaganda herumzuschlagen hatte, waren guter Durchschnitt, nicht mehr, doch läßt sich mein Eindruck über diesen Dichterdurchschnitt dahin zusammenfassen: Besseres Gelichter. Unfähig zur objektiven Berichterstattung, die man heutzutage doch wohl von jedem Zeitungsschreiber erwartet, waren unsere damaligen Poeten nichts weiter als unseriöse Übertreiber und abergläubische Märchenerzähler, wobei sie jedoch, um gerecht zu sein, im Falle des Augiasstalls nicht eigentlich übertrieben, sondern untertrieben. Es fiel ihnen einfach keine bessere Version einer Geschichte ein, die für uns alle peinlich war: Die Wahrheit hätte Herkules ruiniert, eine Tatsache, die ein so unkomplizierter Charakter wie der seine nie begreifen konnte. Er hielt die Dichter für unnütz und verkannte den Wert der Propaganda schmerzlich.

HERKULES: Polybios.
POLYBIOS: Verehrter Meister Herkules?
HERKULES: Ich habe dich zu meinem Sekretär gemacht.

Ich zahle dir achthundertfünfzig Drachmen im Monat, eine enorme Summe.
POLYBIOS: Ich habe in Athen und auf Rhodos studiert, verehrter Meister.
HERKULES: Dazu unterhältst du in deinem Büro zwanzig Dichter, was mir weitere zweihundert Drachmen im Monat ausmacht.
POLYBIOS: Die Dichter dürfen als Spesen von den Steuern abgezogen werden. Propaganda ist für einen frei schaffenden Nationalhelden lebensnotwendig.
HERKULES: Ich mühe mich ab. Ich erlege die Ungeheuer der Vorzeit, die Griechenlands Felder zerstampfen, und knüpfe die Räuber an die Bäume, die seine Wege unsicher machen. Und der Dank? Steuern, weil ich als Nationalheld keinem Verband angehöre.
POLYBIOS: Es steht Ihnen frei, dem hellenischen Berufsheroenverband beizutreten.
HERKULES: Um als meistverdienender die ganze Heldenbande zu unterhalten. Ich kenne die Statuten dieses Vereins.
POLYBIOS *entsetzt:* Verehrter Meister!
HERKULES: Ich arbeite privat und habe dich angestellt. Nun gut, ich bin zufrieden mit dir. Aber die Dichter ärgern mich. Da ist zum Beispiel dieser Komer, dem wir zweiundfünfzig Drachmen für sechsundzwanzig Verse zahlten. Zweiundfünfzig Drachmen, zwei Drachmen mehr als ich an einem mittleren Raubritter verdiene!
POLYBIOS: Homer, Homer heißt der Mann!
HERKULES: Homer oder Komer, wer weiß in zehn Jahren schon, wie er hieß. Und was beschreibt er? Wie mich der König Odysseus im Totenreich besucht. Dieser unglücklich verheiratete König von Ithaka, der von seiner Insel nie fortgekommen ist und sich seine Reisen zusammendichten läßt. Für dreitausend Drachmen.
POLYBIOS: Für zweitausendfünfhundert.

Dejaneira war nichts anderes als diese Liebe, denn Dejaneira war für ihn die Schönheit *und* der Geist. Ihr zuliebe bestand er die ungeheuerlichen Abenteuer seines Berufs und es war seine Leidenschaft, Griechenland für den Geist zu säubern, den er in ihr verkörpert sah. Dejaneira dagegen war manchmal etwas beunruhigt.

DEJANEIRA: Ich weiß –

POLYBIOS: Sagte sie einmal zu mir –

DEJANEIRA: Ich weiß, Herkules und ich gelten als das ideale Paar Griechenlands, und wir lieben einander auch wirklich. Doch ich fürchte mich, ihn zu heiraten, seit ich die Schale schwarzen Bluts besitze.

POLYBIOS: Eine Schale schwarzen Bluts?

DEJANEIRA: Als wir den Fluß Euenos erreichten, wollte mich der Kentaur Nessos rauben. Herkules schoß ihn nieder. Da riet mir der sterbende Kentaur, sein Blut in einer Schale zu sammeln. Ich solle damit das Hemd meines Geliebten bestreichen, und Herkules werde mir treu sein. Ich habe es noch nicht getan. Er haßt Hemden, er ist ja meistens nackt, wenn er nicht gerade die Löwenhaut trägt. Jetzt sind wir frei. Aber einmal, wenn wir heiraten, werde ich mich fürchten, ihn zu verlieren, und er wird ein Hemd tragen, weil er älter sein wird und oft frieren wird, und ich werde sein Hemd in das schwarze Blut des Kentauren tauchen. Dann werden wir nicht mehr frei sein.

POLYBIOS: Soweit Dejaneira. Doch hätte kein Grund bestanden, Herkules für einen nicht vollkommen glücklichen Menschen zu halten, wenn eben nicht seine Schulden gewesen wären. Sie lagen in der Natur seines Metiers und waren unumgänglich. Der Beruf eines Nationalhelden ist nun einmal mit beträchtlichen Spesen verbunden. Er hat zu repräsentieren, Neugierige aus aller Welt sprechen vor, die zu bewirten sind, ein luxuriöser Lebenswandel ist Pflicht, nur das Beste ist gut genug. Die Schulden quälten ihn, stürzten ihn oft in Verzweiflung. Sein Sinn war auf

Großes gerichtet, die Bedrohung des platten Alltags empfand er als entwürdigend. Der Verdacht stieg in ihm auf, er befreie das Land von den Auerochsen und Straßenräubern – ich brauche seine Worte – nur den Händlern und Bankiers zuliebe, die keinen Pfennig für seinen kulturellen Eifer hergaben. Dies alles vorausgesetzt, muß ich die Geschichte mit dem König Augias als einen Wendepunkt im Leben unseres Helden bezeichnen. Über Augias selbst möchte ich nicht viele Worte verlieren. Um die Wahrheit zu sagen, war er eigentlich gar kein König, sondern vielmehr der Präsident von Elis, ja, um genau zu sein, nur der reichste der Bauern, und, da es dortzulande nur Bauern gibt, auch der, welcher am meisten zu sagen hatte und das elische Parlament präsidierte. Was nun den sagenhaften Mist angeht, von dem man so viel hört, so war er eben Gegenstand einer hitzigen Debatte im großen Rat gewesen –

Man hört eine Glocke läuten.

EINER *bedächtig, langsam, wie die ganze Ratsszene:* Es stinkt in unserem Land, daß es nicht zum Aushalten ist.

EIN ANDERER: Der Mist steht so hoch, daß man überhaupt nur noch Mist sieht.

EIN DRITTER: Letztes Jahr sah man noch die Hausdächer, nun sieht man auch die nimmer.

EIN VIERTER: Wir sind total vermistet.

ALLE: Vermistet.

AUGIAS *mit der Glocke:* Ruhe!

Schweigen.

WIEDER EINER: Wir sind aber vermistet.

EIN ANDERER: Das ganze Land ist ein Saustall geworden.

EIN DRITTER: Verdreckt und verschissen.

EIN VIERTER: Und stinken tut's.

ALLE: Stinken.

AUGIAS *mit der Glocke:* Ruhe!

Schweigen.

EINE SCHRILLE STIMME: Dafür sind wir die älteste Demokratie Griechenlands.
EINE ANDERE: Aber stinken tun wir trotzdem.
AUGIAS *mit der Glocke:* Ruhe!
Schweigen.
WIEDER EINER: Mal baden möchte ich, aber auch im Wasser ist Mist.
EIN ANDERER: Die Füß waschen.
EIN DRITTER: Das Gesicht.
EIN VIERTER: Es soll Länder geben, wo der Mist nicht so hoch ist.
ALLE: Bei uns ist er aber so hoch.
AUGIAS *mit der Glocke:* Ruhe!
Schweigen.
EINER: Dafür haben wir Käse.
EIN ANDERER: Und Vieh.
EIN DRITTER: Und sind gesund.
EIN VIERTER: In die Tempel gehen wir auch am meisten.
ALLE: Wir sind die Urgriechen.
AUGIAS *energisch:* Ruhe!
Schweigen.
WIEDER EINER: Auch der Käse tut schon nach Mist stinken.
EIN ANDERER: Und die Milch, und die Butter.
EIN DRITTER: Und die Gesundheit.
EIN VIERTER: Gegen den Mist helfen auch die Tempel nimmer. Nur Ausmisten hilft.
ALLE: Ausmisten.
AUGIAS *mit der Glocke:* Ruhe!
Schweigen.
EINER: Die Kultur sollte man einführen wie im übrigen Griechenland.
EIN ANDERER: Die Zivilisation, die Sauberkeit.
EIN DRITTER: Entweder misten wir jetzt aus, oder wir bleiben im Mist stecken.

EIN VIERTER: Es ist höchste Zeit.
ALLE: Es ist Matthäi am letzten.
Energisches Läuten der Glocke.
AUGIAS: Männer von Elis!
EINER: Hört unseren Präsidenten Augias.
ALLE: Hören wir ihm zu.
AUGIAS: Natürlich muß man ausmisten. Es ist wohl keiner unter uns, der nicht gegen den Mist ist. Wir sind alle gegen den Mist, ja, unter den Griechen ist der Elier, der am meisten gegen den Mist ist.
EINIGE: Richtig.
AUGIAS: Doch ist ein Unterschied, ob wir nur ein wenig, oder ob wir radikal ausmisten. Wenn wir nur wenig ausmisten, steht der Mist übers Jahr wieder so hoch wie jetzt, ja, noch höher, bei der Mistmenge, die wir produzieren. Daher müssen wir radikal ausmisten.
ALLE: Radikal.
AUGIAS: Elier! Wir stehen vor einer Gesamterneuerung des Staates. Die schmucken Dörfer, unsere Residenz Elis mit der heimeligen Altstadt bilden einen einzigen Misthaufen. Wolken von Fliegen lagern über uns. Die Kühe schwimmen in Meeren von Jauche.
EINER: Einfach ran an den Mist!
ALLE: Ran an den Mist!
AUGIAS: Ran an den Mist. Ein großes Wort. Doch muß mit Sorgfalt ausgemistet werden. Wir sind eine Demokratie. Nun ist die Aufgabe so gewaltig, daß ein Oberausmister gewählt werden muß. Wie leicht jedoch kommt die Freiheit in Gefahr, wenn wir dies tun. Der Mist ist dann fort, aber wir haben einen Oberausmister, und ob wir den auch fortbringen, kann man nicht wissen. Die Geschichte lehrt, daß gerade die Oberausmister bleiben. Doch droht uns eine noch größere Gefahr. Wenn wir jetzt ausmisten, haben wir keine Zeit, unsere Kühe zu besorgen, die Käse- und Butterherstellung, der Export wird zurückgehen, und

der Verlust kommt uns teurer zu stehen als die ganze Ausmisterei –

EINIGE: Eben!

ANDERE: Die Ausmisterei sollen die Reichen bezahlen.

WIEDER ANDERE: Wir zahlen genug Steuern!

NOCH ANDERE: Ausmisten! Einfach ausmisten!

AUGIAS: Elier! Beim letzten Fürstentag in Arkadien hörte ich von einem Herkules, den man den Säuberer Griechenlands nennt. Den brauchen wir. Säubern und Ausmisten ist das eine wie das andere. Ich will dem guten Mann mal schreiben. Wir bieten ihm ein anständiges Honorar, zahlen ihm die Spesen, und während wir unser Vieh besorgen, kann er sich an die Arbeit machen. So kommt uns das Ausmisten am billigsten.

EINIGE: Am billigsten.

ALLE: So wollen wir es machen.

POLYBIOS: So kam es, daß sich Augias an Herkules wandte. Der Brief war peinlich. Es war offensichtlich, daß Augias den Titel Säuberer Griechenlands wörtlich nahm und ein Ansinnen stellte, das den Nationalhelden tief beleidigen mußte. Anderseits wieder war dieses Ansinnen von einem Honorarangebot begleitet, das einfach nicht zu übersehen war. So sehr ich zögerte, so sehr mir Unheil schwante, ich mußte es für meine Pflicht halten, Herkules über diese Angelegenheiten zu informieren.

Gepolter, Fensterscheibengeklirr, Stöhnen.

POLYBIOS: Sie haben es erraten, meine Damen und Herren, mir schwante richtig, das Getöse sagt genug: Wie ich Herkules den Brief des Augias unterbreitete und das günstige Angebot nur aufs behutsamste unterstrich, warf er mich nicht nur die Treppe hinunter, sondern auch durchs Fenster auf die Straße. Außer einem Beinbruch und einigen Schnittwunden trug ich zwar nichts davon, doch konnte ich mich erst eine Woche später, und das Bein eingeschient, hinter meine neue Aufgabe machen. Das Angebot des Augias mußte angenommen werden, an der Dringlichkeit dieser Tatsache gab es nichts zu rütteln, hatten sich doch neue Gläubiger eingestellt und schuldete mir unser Nationalheld den Lohn von zwei Jahren. Doch beschloß ich, mit Dejaneira zu sprechen; eine neue Unterredung mit Herkules über dieses Thema wäre wohl mit Lebensgefahr verbunden gewesen.

DEJANEIRA: Die Heftigkeit tut mir leid, Polybios, mit der dich Herkules behandelte.

POLYBIOS: O bitte.

DEJANEIRA: Herkules schätzt dich. Er hat nur eine etwas rauhe Schale, aber sein Herz ist gut.

POLYBIOS: Das ist auch das wichtigste.

DEJANEIRA: Das Bein schmerzt dich wohl noch?

POLYBIOS: Die Hauptsache ist, daß ich kein Fieber mehr habe.

DEJANEIRA: Und was führt dich zu mir?

POLYBIOS: Der König von Elis schrieb einen Brief.

DEJANEIRA: Der drollige Bauernkönig, der von Herkules verlangt, daß er ihm das Land ausmistet. Ich mußte über diese Geschichte furchtbar lachen.

POLYBIOS: Ich hatte leider noch keine Gelegenheit dazu, Madame. Mein Bein –

DEJANEIRA: Natürlich Polybios. Dein Bein –

Sie schweigt etwas verlegen.

DEJANEIRA: Du meinst doch nicht etwa, daß wir den Auftrag annehmen sollen?

POLYBIOS: Madame, in Anbetracht unserer Schulden –

Er schweigt etwas verlegen.

DEJANEIRA: Haben wir viele Schulden, Polybios?

POLYBIOS: Madame, wir werden von Gläubigern belagert. Von den Betreibungen will ich gar nicht sprechen. Wir stehen vor dem Konkurs, Madame.

Beide schweigen etwas verlegen.

DEJANEIRA: Ich will meinen Schmuck verkaufen.

POLYBIOS: Madame, Ihre Steine sind nicht mehr echt. Wir waren gezwungen, sie durch falsche zu ersetzen. Nichts in diesem Hause ist mehr echt.

Stille.

DEJANEIRA: Wieviel bietet Augias?

POLYBIOS: Dies auszurechnen ist kompliziert. Die Elier sind ein Bauernvolk. Fleißig, einfach, ohne Kultur. Sie vermögen nur bis drei zu zählen. Geistig eben zurückgeblieben. Daher haben sie eine Pergamentrolle mit lauter Dreis beschrieben, die unsere Dichter noch zusammenzählen. Doch sind es bis jetzt über hunderttausend Drachmen.

DEJANEIRA: Wären wir damit saniert?

POLYBIOS: Im großen und ganzen.

DEJANEIRA *entschlossen:* Ich werde mit Herkules reden.

POLYBIOS *erleichtert:* Ich danke Ihnen, Madame.

DEJANEIRA: Herkules.

HERKULES: Dejaneira?

DEJANEIRA: Du kannst jetzt nicht bogenschießen. Ich habe mit dir ein ernstes Wort zu reden.

HERKULES: Ich höre.

DEJANEIRA: Du mußt das Angebot des Königs Augias annehmen.

HERKULES: Dejaneira. Ich habe meinen Sekretär Polybios die Treppe hinunter und zum Fenster hinaus geschmettert, wie er mir die leiseste Andeutung über dieses Thema machte.

DEJANEIRA: Nun, willst du mich auch irgendwohin schmettern?

HERKULES: Du kannst doch von mir nicht verlangen, daß ich misten gehe!

DEJANEIRA: Wir haben Schulden.

HERKULES: Ich habe die schrecklichsten Ungeheuer erlegt, die Giganten besiegt, die Riesen Geryones und Antaios, das Himmelsgewölbe habe ich getragen, das Riesengewicht seiner Sterne, und in die Nebelmeere der Unterwelt bin ich gestiegen. Und nun soll ich das Land eines Mannes ausmisten, der nur bis drei zählen kann und nicht einmal König ist, sondern nur Präsident. Niemals!

DEJANEIRA: Es geht nicht anders. Das muß du nun eben einsehen. Nicht das ist wichtig, was einer tut, sondern wie er es tut. Du bist ein Held, und so wirst du auch als ein Held ausmisten. Was du tun wirst, Herkules, wird nie lächerlich sein, weil du es tust.

HERKULES: Dejaneira!

DEJANEIRA: Herkules!

POLYBIOS: Unterdessen hatten sich in Elis große Dinge zugetragen. Eine Ahnung von Hygiene, von frisch gebohnerten Stubenböden, von leuchtend weißen Häusern, ging durch das Land. Man fühlte, frische Luft war nötig. Die Hoffnung belebte die Elier, die jedem beschlossenen Umbruch, jeder Erneuerung vorangeht. Geistig sahen sie sich schon ausgemistet, vor allem die Frauen, die Märchenhaftes erwarteten, lasen doch die wenigen, die lesen konnten, mit Begeisterung in der Herkulesbücherei. Neue Parteien bildeten sich. Die Sportler schlossen sich zusammen, die Philatelisten freuten sich auf eine neue Briefmarke. Man sprach von einem Geistesfrühling. Alle waren einig, daß ausgemistet werden mußte, doch hoffte eben ein jeder, dabei noch ein besonderes Geschäft zu machen.

ERSTER CHOR:

Wir Wirte etwa, zur Harmonie, zum Auerochsen
und zum alten Brauch
Erwarten zwar auch
Einen höheren Hauch
Doch nachher noch Fremdenverkehr
Korinther, Athener, Meder und Briten
Ägyptische Fürsten, thebanische Witwen
Mistet Herkules aus, mistet Herkules aus.

Nicht des Geldes wegen
Nein
Was nicht sein soll, soll auch nicht sein
Doch der Fremdenverkehr wird auf natürlichen Wegen
Die Kultur des Eliers weiter erregen
Ist der Mist einmal fort, ist der Mist einmal fort.

ZWEITER CHOR:
Wir Bauern hingegen vom Säulihof, vom Ankenboden und von Milchiwil
Erwarten zwar viel
Vom so nötigen Ziel
Doch davon natürlich dann schon
Noch besseren Käs, noch bessere Rinder
Noch fetteren Speck und noch fettere Kinder
Mistet Herkules aus, mistet Herkules aus.

Nicht des Geldes wegen
Nein
Was nicht sein soll, soll auch nicht sein
Doch der fettere Speck wird auf natürlichen Wegen
Die Kultur des Eliers weiter erregen
Ist der Mist einmal fort, ist der Mist einmal fort.

DRITTER CHOR:
Wir Frauen daneben aus Bauernkreisen oder gar von einem höheren Leben
Erwarten zwar eben
Ein rein geistiges Streben
Doch vom Heros brauchen wir Eros
Wir baden uns griechisch, schminken uns persisch
Wir tragen das Mieder auf indochinesisch
Mistet Herkules aus, mistet Herkules aus.

Nicht des Helden wegen
Nein
Was nicht sein soll, soll auch nicht sein
Doch wird unser Bemühen auf natürlichen Wegen
Die Kultur des Eliers weiter erregen
Ist der Mist einmal fort, ist der Mist einmal fort.

ALLE ZUSAMMEN:
So hoffen wir eben. Himmelhoch im Lande und im Denken steht der Mist
Der bleibt wie er ist
Ohne höheren Hauch
Wir sind alle dagegen
Doch lassen wir nit, doch lassen wir nit
Von unsrem Geschäft und von unsrem Profit
Mistet Herkules aus, mistet Herkules aus.

Nicht des Geldes wegen
Nein
Was nicht sein soll, soll auch nicht sein
Doch wird ohne Profit auf natürlichen Wegen
Die Kultur des Eliers niemand erregen
Ist der Mist einmal fort, ist der Mist einmal fort.

POLYBIOS: So schiffte man sich denn ein, umfuhr mit dem Kursschiff nach Ithaka den Peloponnes und landete bei angenehmer Witterung in der Mündung des Penaios, entschlossen, das schmutzige Abenteuer in Angriff zu nehmen. Der Nationalheld war von wenigen begleitet, von Dejaneira, von mir und einigen noch nicht verkauften Sklaven; die Dichter ließen wir in Theben zurück mit dem Auftrag, für die Arbeit, die in Elis zu leisten war, eine möglichst poetische Version zu finden: Das war auch nötig, denn die Reise ins Innere des Landes gestaltete sich schwieriger als man dies vorher angenommen hatte, übertraf doch der Mist jede Erwartung. Waren zuerst nur einzelne Pfützen zu sehen, mehrten sie sich, wuchsen zusammen, besonders für Herkules peinlich, der, nur mit der Löwenhaut bekleidet, wie es seine Gewohnheit war, und barfuß nach Heldenart, immer bedenklicher auszusehen begann.

DIE SCHULKINDER:

Der Mist steht hoch in unserm Land
Es stinkt an allen Enden.

DER SCHULLEHRER: Rhythmischer. Mehr Größe im Ausdruck. Mehr Gefühl. Den Mist muß man spüren, riechen.

Singt vor:

Der Mist steht hoch in unserm Land
Es stinkt an allen Enden.

XENOPHON: Meine Damen und Herren. Mein Name ist Xenophon, mein Beruf Redaktor am elischen Landboten. Wir befinden uns auf dem Augiasplatz, den Nationalhelden Griechenlands, Herkules, zu empfangen. Schon hören Sie die Schulkinder. Sie üben das Empfangslied ein, komponiert von unserem Musikdirektor, dem die Freude an der bevorstehenden Ausmistung leider einen Hirnschlag auslöste, der ihn dahinraffte. Das Empfangslied ist sein letztes Werk. Sie wohnen nun, meine Damen und Herren, der Uraufführung bei. Es dirigiert der Stellvertreter des verstorbenen Musikdirektors, Volksschullehrer Schmied, seinem Namen nach nicht ein reiner Grieche, sondern ein aus Norden eingewanderter Gote.

SCHULKINDER:

Der Mist steht hoch in unserm Land
Es stinkt an allen Enden.

XENOPHON *leise, um den Gesang nicht zu stören:* Der altehrwürdige Augiasplatz ist der schönste Platz in Elis, das darf man wohl sagen, der berühmteste, stehen doch hier, leider unsichtbar, die historische Eiche und ein Apoll des Praxiteles, und wenn auch seine herrlichen Gebäude, seine spätarchaischen Fassaden mit den farbigen mykenischen Holzschnitzereien unter dem Mist begraben sind, geistig sind sie eben doch vorhanden und nehmen am Geschehen teil.

SCHULKINDER:

Doch ist uns nun der Retter nah
Des Landes Not zu wenden.

SCHMIED:

Doch ist uns nun der Retter nah
Des Landes Not zu wenden.

Dies freudiger, dynamischer, hoffnungsvoller, tiefer! Metaphysischer! Es ist doch merkwürdig, daß ihr Griechen nie auf eure eigene Tiefe kommt, und daß wir Goten euch diese immer erklären müssen: Doch ist uns nun –

SCHULKINDER:

Doch ist uns nun der Retter nah
Des Landes Not zu wenden.

XENOPHON: Nun ist der große, historische Augenblick gekommen, meine Damen und Herren. Überall leuchten in der Stadt die Mistfeuer, Kuhglocken erdröhnen, Alphörner blasen. Es wimmelt von Eliern, zu Tausenden, Zehntausenden sind sie herbeigeströmt, herbeigewatet, um die Wahrheit zu sagen. Jetzt steigt in der Mistkäfergasse ein unbeschreiblicher Jubel hoch. Herkules, Herkules tönt es im Chor. Überall Fahnen, überall Spruchbänder, Transparente mit der Devise: Der Mist muß fort. Das Empfangskomitee in der schlichten Tracht des Landes mit den hohen Stiefeln hat ein Halbrund gebildet, in dessen Mitte unser Präsident Augias auf dem traditionellen silbernen Melkstuhl sitzt, die goldene Mistgabel in der Hand zum Zeichen seiner Würde. Und nun erscheint Herkules auf dem Augiasplatz, der große Säuberer, der phänomenale Held und Sportler, unser Nationalheros in der bekannten Löwenhaut, gefolgt von einem hinkenden jungen Mann mit Brille, wohl von seinem Sekretär, und Sklaven, die eine Sänfte tragen. Nun sind sie da, nun hat sich der historische, der welthistorische Augenblick ereignet, nun sind sie in Elis eingetroffen, *etwas ernüchtert,* leicht hergenommen, muß man sagen, *wieder begeistert.* Nun, das macht ja nichts, das Terrain in unserem kleinen, aber freien Ländchen ist nicht das beste, und mag es einige Spritzer gegeben haben, besonders die Riesengestalt, zwei Meter fünfzig, unseres Nationalhelden mag einigemale zu tief gesunken sein. Nun hören Sie die Begeisterung des Volkes aus nächster Nähe, besonders die des weiblichen Teils der Bevölkerung. Hurrarufe, Jauchzer, Tücherschwenken, Hüte werden in die Luft geworfen. Die Blasmusik setzt ein mit der Nationalhymne, die alles mitsingt.

ALLE MIT DER BLASMUSIK:

O Elierland, mein liebes Vaterland
Kleinod am Penaiosstrand.

Die folgenden Worte weiß wie bei allen Nationalhymnen niemand mehr.

XENOPHON: Der Schulkinderchor singt unter Volksschullehrer Schmied.

SCHULKINDER:

Der Mist steht hoch in unserm Land
Es stinkt an allen Enden.
Doch ist uns nun der Retter nah
Des Landes Not zu wenden.

XENOPHON: Nun erhebt sich Präsident Augias, wohl der volkstümlichste unserer Präsidenten, der Präsi, wie wir ihn alle nennen, von seinem silbernen Melkstuhl und geht auf Herkules zu –

AUGIAS: Herkules, Nationalheld, willkommen in unserer vermisteten Heimat, willkommen in unserem Ländchen. Und wie siehst denn du aus? Verdreckt und verstunken von oben bis unten, fast könnte man meinen, du seist der Elier. Werde dir ein Paar Stiefel leihen. Da, einen herzhaften Kuß!

HERKULES: Herr Präsident –

AUGIAS: Nun das Ehrenkomitee. Marsch, tretet vor, schön der Reihe nach und gebe jeder unserem Nationalhelden einen Schmatz. Adrast von Milchiwil, Vizepräsident des großen Rats *Kuß;* Pentheus vom Säuliboden, Präsident des Komitees für Kultur *Kuß;* Kadmos von Käsingen, Vorsitzender des Heimatvereins *Kuß;* Tydeus vom hintern Grütt, Präsident des Fremdenverkehrsvereins *Kuß;* Agamemnon vom vordern Grütt, Custos des Landesmuseums *Kuß;* Kleisthenes vom mittlern Grütt, Präsident für Sittlichkeit...

POLYBIOS: So ging das stundenlang. Es war fürchterlich. Die Hauptstadt, die unvermutet, ohne Konturen, plötzlich einfach vorhanden war als ein riesenhafter Misthaufen inmitten eines noch riesenhafteren Misthaufens, die wimmelnden Menschen in ihren hohen Stiefeln, dazu unsere eigene, doch an Sauberkeit gewöhnte und nun so heruntergekommene Gestalt, die warme Stalluft, das nie aussetzende Gesumm der Fliegen, das Gekrächz der Raben, die diese Fliegen fraßen und fett wie Gänse fast nicht mehr fliegen konnten, die barbarische Begrüßungszeremonie mit der Küsserei, das nachfolgende Bankett mit der grauenerregenden Art, wie man in diesem Lande Unmengen von Schweinen und Ochsen und Tonnen von Bohnen verzehrte, ganze Fässer von Kornschnaps leer trank und dazu unendliche Festreden hielt. Endlich, spät in der Nacht, ließen wir unsere Zelte auf einen Fels schaffen, der in der Nähe von Elis wie eine Insel aus den Mistmeeren ragte mit einer silbernen Quelle, worin wir uns säuberten. Es ging gegen Morgen. Der Mond war im Sinken begriffen. Stille. Nur die Quelle murmelte. Ich schlief in meinem Zelt, die Sklaven zusammengerollt irgendwo, nur Dejaneira konnte nicht schlafen. Sie saß auf der Löwenhaut des Nationalhelden und starrte in den Mond, der selbst Elis' Mistgebirge in sanfte blaue Hügel verwandelte, und mit einem Male stand ein Jüngling vor ihr, unbeholfen und in hohen Stiefeln. Dejaneira blickte ihn mit großen Augen verwundert an. Wie weißer Marmor glänzte ihr Leib durch das Halbdunkel, so schön, so gewaltig, daß der junge Mann die Augen nicht wieder aufzuschlagen wagte.

DEJANEIRA: Wer bist du?
PHYLEUS: Ich –
DEJANEIRA: Kannst du nicht reden?
PHYLEUS: Ich bin Phyleus, der Sohn des Augias.
DEJANEIRA: Was willst du?
PHYLEUS: Ich – ich bin gekommen, Herkules zur Besichtigung des Mistes abzuholen.
DEJANEIRA: Mitten in der Nacht?
PHYLEUS: Verzeih.
DEJANEIRA: Willst du mir nicht die Wahrheit sagen?
PHYLEUS: Ich kannte nichts anderes als Pferde, Ochsen, Schweine, bevor ihr gekommen seid. Ich wuchs auf, wie jeder in Elis aufwächst: im Mist, roh, handfest, gut geprügelt und gut prügelnd. Doch nun habe ich Herkules gesehen und dich, und es ist, als würde ich zum ersten Male Menschen sehen und als wäre ich nichts weiteres denn ein zottiges Tier.
DEJANEIRA: Darum bist du hieher gekommen?
PHYLEUS: Ich mußte in eurer Nähe sein.
DEJANEIRA: Du bist noch jung.
PHYLEUS: Achtzehn Jahre.
DEJANEIRA: Willst du dich nicht zu mir setzen?
PHYLEUS: Du bist doch – ich meine, nie vorher sah ich eine unverhüllte Frau.
DEJANEIRA: O! Ich bedecke mich mit der Löwenhaut. Willst du nun kommen?
PHYLEUS: Wenn ich darf.
DEJANEIRA: Ich bin müde, aber ich konnte nicht schlafen. Ich hatte Angst vor diesem Land, vor diesem Mist,

vor den vielen Fliegen und Käfern und vor diesen ungefügen Menschen, die so viel essen und so ernste Gesichter dabei machen. Ich fürchtete mich. Und wie der Mond sich mit einem Mal neigte, ganz plötzlich, gegen die Hügel hin, war es, als greife etwas Unbekanntes nach mir, Herkules und mich zu töten. Da bist du gekommen. Ein junger Mensch mit einem warmen Leib und mit guten Augen. Ich habe Vertrauen zu dir. Ich will meinen Kopf in deinen Schoß legen und nicht mehr Angst haben, wenn der Mond nun versinkt.

POLYBIOS: Doch war dies nicht das einzige Gespräch in der mondhellen Nacht. Auch Herkules konnte nicht schlafen und hatte sich aus seinem Zelt gestohlen. Er saß bei der Quelle. Die Ungeduld, mit der ihn die elische Frauenwelt begrüßt hatte, machte ihm Sorgen. Auch er starrte in den Mond, der, wir wissen es schon, die elische Landschaft verzauberte, und mit einem Male stand auch vor ihm eine Gestalt, ein riesenhafter, zerlumpter Kerl –

HERKULES: Wer bist du?

KAMBYSES: Ich –

HERKULES: Kannst du nicht reden?

KAMBYSES: Ich bin Kambyses, der Sauhirt.

HERKULES: Ich bin Herkules aus Theben. Du hast wohl schon von mir gehört.

KAMBYSES: Ich bin ja nur ein Sauhirt.

HERKULES: Ich bin gekommen, in diesem Lande auszumisten.

KAMBYSES: Wird dir nicht gelingen. Der Mist steht zu hoch.

HERKULES: Du bist ein kluger Mann, Kambyses. Du wirst mir helfen können.

KAMBYSES *verwundert:* Helfen? Einem Helden?

HERKULES: Wenn du tust, was ich dir sage.

KAMBYSES: Was soll ich denn tun?

HERKULES *zögernd:* Sieh, man erzählt viele Geschichten

von mir. Wie ich schon als Säugling zwei Schlangen erwürgt haben soll und später einen Löwen, wie ich Riesen tötete und die Hydra, der immer zwei Köpfe nachwuchsen, wenn ich einen abschlug.

KAMBYSES: Du bist eben ein Held.

HERKULES: Nur mein Beruf. Leider erzählt man noch andere Geschichten. Geschichten von Frauen.

KAMBYSES *erfreut:* Geschichten von Frauen mag ich gern.

HERKULES: Gerade diese Geschichten sind populär.

KAMBYSES: Was erzählt man denn?

HERKULES *etwas geniert:* Ich möchte nicht auf Einzelheiten eingehen. Doch soll ich viele Frauen und Mädchen verführt haben, erzählt man sich.

KAMBYSES *neugierig:* Hast du denn viele verführt?

HERKULES: Schließlich bin ich ein Nationalheld. Doch man übertreibt. So erzählt man, ich hätte in einer Nacht fünfzig Töchter des Königs Thespios verführt.

KAMBYSES *verständnislos:* Fünfzig?

HERKULES: Drei mal drei mal drei mal zwei weniger drei weniger eins.

KAMBYSES: Das hast du nicht getan?

HERKULES: Ich bitte dich, wer hat auch so viele Töchter.

KAMBYSES: Natürlich.

HERKULES: Siehst du.

KAMBYSES: Und was willst du nun von mir?

HERKULES: Das ist schwierig zu erklären. Ich möchte mit den Frauen nicht mehr viel zu tun haben, verstehst du? Ich liebe eine Frau, eine herrliche Frau, und überhaupt bin ich in einem Alter – ich möchte sagen, daß mir ein geruhsameres Leben vorschwebt, als es den Gerüchten entspricht, die über mich umgehen. – Ich möchte mich ganz auf meine Aufgabe beschränken, Mammuts zu töten, Raubritter und was es sonst noch für nützliche Arbeiten gibt im Lande – wie hier zum Beispiel das Ausmisten.

KAMBYSES: Ich verstehe.

HERKULES: Eben.
KAMBYSES: Ich soll deine Liebesgeschichten dementieren.
HERKULES *zögernd:* Nicht eigentlich. Das kann man nicht eigentlich sagen. Eher das Gegenteil.
KAMBYSES *verwundert:* Das Gegenteil?
HERKULES: Siehst du, Kambyses: Gerade diese Frauengeschichten, so unangenehm sie auch sind, bilden einen wichtigen Bestandteil meines Berufs – ich meine, das Volk will, daß ich Frauen- und Mädchenherzen breche – es gehört sich dies einfach für einen Nationalhelden.
KAMBYSES: Das ist ja klar.
HERKULES: Ich kann es mir einfach nicht leisten, nicht nach dem Wunsche des Volkes zu leben, ich muß schließlich darauf achten, daß ich Aufträge bekomme, und geschäftlich geht es mir nicht etwa besonders. Und dennoch muß ich meine Ruhe haben.
KAMBYSES: Nun?
HERKULES *vorsichtig:* Du hast doch meine Figur.
KAMBYSES *stolz:* Man könnte es glauben. So im Dunkeln. Ich bin der größte Elier. Und Muskeln – fühl mal.
HERKULES: Eben. Im Dunkeln. Ich meine – ich stelle mir vor – du könntest doch in meinem Zelt schlafen.
KAMBYSES: Warum denn?
HERKULES: Kambyses. Ich bin sicher, daß du darauf kommst, wenn du nur scharf nachdenkst.
KAMBYSES: Aha.
HERKULES: Du bist darauf gekommen?
KAMBYSES: Jetzt.
HERKULES: Einverstanden?
KAMBYSES: Denk wohl.
HERKULES: Und du schweigst?
KAMBYSES: Ehrenwort.
HERKULES: Nur mußt du dich vorher baden.
KAMBYSES: Baden?
HERKULES: Damit man glaubt, daß du ich bist.

Und des Pontos salzbelebte Natur
Mit gesponnenen Netzen,
Der kundige Mann.

PHYLEUS: Ich verstehe diese Worte. Der Mensch soll über die Erde herrschen.

DEJANEIRA: Dazu ist uns die Erde gegeben: daß wir das Feuer bändigen, die Gewalt des Windes und des Meeres nutzen, daß wir das Gestein zerbrechen und aus seinen Trümmern Tempel und Häuser bauen. Und du solltest einmal Theben sehen, meine Heimat, die Stadt mit den sieben Toren und der goldenen Burg Kadmeia.

PHYLEUS *zögernd:* Du liebst deine Heimat?

DEJANEIRA: Ich liebe sie, weil sie vom Menschen erschaffen ist. Ohne ihn wäre sie eine Steinwüste geblieben, denn die Erde ist blind und grausam ohne den Menschen. Nun hat er sie bewässert, hat die wilden Tiere getötet; nun ist sie grün, nun sind Olivenbäume und Eichen, Kornfelder und Weinberge da. Alles ist hier, was der Mensch braucht. Die Erde hat seine Liebe erwidert.

PHYLEUS: Es ist schön, eine Heimat zu besitzen, die man lieben kann.

DEJANEIRA: Die Heimat soll man immer lieben.

PHYLEUS: Ich kann die meine nicht lieben. Wir beherrschen unser Land nicht mehr. Es beherrscht uns mit seiner braunen Wärme. Wir sind eingeschlafen in seinen Ställen.

DEJANEIRA: Herkules wird ausmisten!

PHYLEUS: Ich fürchte mich davor.

DEJANEIRA: Fürchten?

PHYLEUS: Auch hier soll es einmal Tempel gegeben haben. Auch sagen einige, sie seien unter dem Mist noch erhalten. Wenn nun einmal Herkules ausmistet, werden vielleicht auch herrliche Gebäude bei uns sein wie in Theben, vielleicht sogar eine Königsburg, die Augeia, wie man glaubt, und mein Land wird ähnlich sein wie das deine. Doch sieh, Dejaneira, davor habe ich Angst: daß alles wieder von vorne anfangen, daß der Mist wieder kommen, daß die ganze Herkulesarbeit unnütz sein wird, weil wir es nicht verstehen, ohne Mist zu leben, weil uns niemand die Möglichkeit des Menschen zeigen wird, sein Vermögen, große und schöne, wahre und kühne Dinge zu tun, weil der Mist nur das Sinnbild unseres Unverstandes und unserer Unkenntnis ist. Ich fürchte mich vor der Zukunft, Dejaneira.

POLYBIOS: Herkules lag im Schatten und hörte dem Gespräch zu. Dejaneira liebte es, von ihrer Heimat zu schwärmen, war sie in der Fremde und besonders jetzt natürlich in Elis, während er, kam man auf Theben zu reden, mehr an die Krämer und Bankiers dachte, die an den Hängen der goldenen Kadmeia nisteten. Der sympathische Junge, der die nackte Dejaneira bestaunte, als wäre sie ein Wunder – und sie war ja wirklich eines – und der immer noch kaum die Stiefel auszuziehen wagte, tat ihm leid. Er beschloß, einzugreifen. Beim Anbruch der Dämmerung – sein Zelt mit Kambyses war wie gewöhnlich von Elierinnen umschlichen – wie er sich bei Dejaneira versteckte, sagte er zu ihr…

HERKULES: Willst du mich heiraten, Dejaneira?
DEJANEIRA: Ich weiß nicht – willst du mich heiraten, Herkules?
HERKULES: Nun, ich fürchte mich etwas. Ich bin doch vielleicht nicht sonderlich ein Mann für dich – mein Beruf –
DEJANEIRA: Ich fürchte mich ja auch ein wenig davor. Du bist ein Held, und ich liebe dich. Doch ich frage mich, ob ich für dich nicht nur ein Ideal bin, so wie du für mich ein Ideal bist.
HERKULES: Zwischen uns steht dein Geist, deine Schön-

heit und meine Taten und mein Ruhm, das willst du sagen, nicht wahr, Dejaneira?
DEJANEIRA: Ja, Herkules.
HERKULES: Siehst du, darum solltest du diesen reizenden Jungen heiraten, diesen Phyleus. Er liebt dich, er hat dich nötig, und ihn kannst du lieben nicht als ein Ideal, sondern als einen unkomplizierten jungen Mann, der eine Frau wie du braucht.
DEJANEIRA: Dies bist du gekommen, mir zu sagen?
HERKULES: Dies.
DEJANEIRA: Ich soll hier bleiben in Elis?
HERKULES: Liebst du ihn denn nicht, den Phyleus?
DEJANEIRA: Doch – ich liebe ihn.
HERKULES: Es ist deine Bestimmung, daß du bleibst und die meine, daß ich gehe, mit meinen Auerochsen und Mammuts zu kämpfen.
DEJANEIRA *leise:* Dieses Land ist so schrecklich, Herkules. Ich werde nie mehr Theben sehen, die Gärten, die goldene Kadmeia, bleibe ich hier.
HERKULES: Errichte hier dein Theben, deine goldene Kadmeia. Warte nur, bis ich ausgemistet habe. Ich nehme es auf mich, Berge von Unrat wegzuwälzen, das ungefüge Handwerk zu tun, das nur ich tun kann, aber du gibst dem gesäuberten Land die Fülle, den Geist, die Schönheit, den Sinn. So sind wir denn beide für Elis notwendig, beide die Möglichkeiten dieses Landes, daß es sich vermenschliche. Bleib bei Phyleus, Dejaneira, und meine schmutzige Arbeit wird meine beste sein.

POLYBIOS: Soweit waren die Dinge in Elis gediehen. Alles schien sich zum Wohle, zum Heil des Landes zu wenden, ein freundlicher Stern über allem zu walten. Warte nur, bis ich ausgemistet habe: nun, diese Worte des Herkules klangen etwas optimistisch, denn es war nicht ganz zu übersehen, daß dem Ausmisten, sollte es jetzt in die Tat umgesetzt werden, mit einem Male einige Schwierigkeiten gegenüberstanden. Nicht nur, daß das Wasseramt sich noch nicht entschließen konnte, auch in der Säuberungskommission wurden Bedenken laut, die um so eindringlicher waren, als sie von Politikern vorgebracht wurden, die selber von der Notwendigkeit des Ausmistens tief überzeugt waren. So sagte etwa Pentheus vom Säuliboden, der Präsident des Kulturkomitees:

PENTHEUS VOM SÄULIBODEN: Meine Herren. Ich möchte anfangs betonen, daß ich nach wie vor von der Notwendigkeit des Ausmistens zutiefst überzeugt bin.
EINE STIMME: Wer nicht ausmistet, schadet der Heimat.
AUGIAS *mit der Glocke:* Ruhe!
PENTHEUS VOM SÄULIBODEN: Doch ist es mir als Präsident des Kulturkomitees eine Pflicht, die Säuberungskommission des großen Rates darauf hinzuweisen, daß das Ausmisten die Gefahr in sich birgt, Kulturwerte unserer Heimat zu beschädigen, ja zu zerstören. Unter dem Mist sind immense Kunstschätze verborgen. Ich nenne nur die spätarchaischen Fassaden und die farbigen Holzschnitzereien auf dem Augiasplatz, den Zeustempel im frühjonischen Stil und die weltberühmten Fresken in der Turnhalle. Dieses Kulturgut nun, mistet man es aus – und ich sehe auch keinen anderen Weg als die Flüsse Alpheios und Penaios durch unser Gebiet zu lenken – könnte durch die Wasserfluten beschädigt, ja, wie zu befürchten ist, zerstört werden, und da unser Patriotismus weitgehend auf diesen kulturellen Gütern ruht, läuft auch er Gefahr, bei einer allgemeinen Ausmistung zu Grund zu gehen. Nun könnte man einwenden, die ganzen Befürchtungen seien hinfällig, weil man die Kunstschätze ja gar nicht sehe, da sie unter dem Mist begraben sind, doch muß ich gerade hier ausrufen: Es ist besser, daß diese kulturellen Güter, die ja unsere heiligsten Güter sind, zwar nicht sichtbar, aber doch eben

noch vorhanden sind, als überhaupt nicht mehr vorhanden.
EINE STIMME: Bilden wir eine Kommission.
ALLE: Beschlossen schon: Wir bilden eine Kommission!
AUGIAS *mit der Glocke:* Kadmos von Käsingen hat das Wort.

KADMOS VON KÄSINGEN: Meine Herren vom Säuberungsausschuß. Als Vorsitzender des Heimatvereins möchte ich meinem Vorredner Pentheus vom Säuliboden insofern zustimmen, als auch ich die unter dem Mist verborgenen Kunstschätze als unsere heiligsten Güter betrachte. Doch der Ansicht, meine Herren, daß die Fluten diese heiligsten Güter beschädigen könnten, kann ich nicht beitreten. Diese Ansicht scheint mir die Notwendigkeit des Ausmistens, von der wir alle zutiefst überzeugt sind, zu hintertreiben. Es ist doch klar, daß der Mist für diese heiligsten Güter schädlicher ist. Nein, meine Herren, was ich befürchte, ist vielmehr, daß unsere heiligsten Güter unter dem Mist gar nicht vorhanden sind, weil sie eben nur in unserem Glauben existieren. In diesem Falle, meine Herren, wäre das Ausmisten ein großes Unglück, ja, geradezu ein Verrat an unseren heiligsten Gütern. Die Hoffnung der Nation, sie unter dem Mist zu finden, zerrönne in Nichts, der ganze Stolz des Eliers auf seine Vergangenheit, sein Patriotismus erwiese sich als eine Utopie. Nun will ich nicht etwa sagen, daß es diese heiligsten Güter nicht gebe, ich glaube als ein guter Patriot, ich hoffe wie wir alle, daß sie unter dem Mist vorhanden sind, zweifle auch nicht im geringsten daran, doch als Realpolitiker halte ich es für meine Pflicht, die Möglichkeit, daß unsere heiligsten Güter eben vielleicht doch nicht vorhanden sein könnten, einzukalkulieren. Da unsere heiligsten Güter jedoch für die Nation notwendig sind, und da, misten wir nicht aus, die Frage, ob es sie gibt oder nicht gibt, offen bleibt, was wieder, praktisch, politisch nüchtern gesprochen, so viel ist, als wären unsere heiligsten Güter vorhanden, so glaube ich, daß wir uns das Ausmisten, von dessen Notwendigkeit ich, wie gesagt, zutiefst überzeugt bin, doch noch sehr überlegen müssen.

EINE STIMME: Bilden wir eine Gegenkommission.

ALLE: Beschlossen schon: Wir bilden eine Gegenkommission!

AUGIAS *mit der Glocke:* Äskulap von Milchiwil hat das Wort.

ÄSKULAP VON MILCHIWIL: Meine Herren. Als Chefarzt der städtischen Klinik habe ich mit Empörung die Reden des Pentheus vom Säuliboden und des Kadmos von Käsingen verfolgt, die, obgleich sie sich bekämpfen, beide die Notwendigkeit des Ausmistens, von der wir zutiefst überzeugt sind, in Zweifel zogen, auch wenn sie beide versicherten, auch sie seien von der Notwendigkeit zutiefst überzeugt. Als ob es darauf ankäme, ob nun Holzschnitzereien unter dem Mist verborgen seien oder nicht, als ob diese kulturellen Güter, von denen man nicht weiß, ob sie überhaupt existieren, unsere heiligsten Güter wären. Unser heiligstes Gut, meine Herren, ist unsere Volksgesundheit, und der Elier, meine Herren, ist gesund. *Bravorufe.* Nun ist jedoch nicht zu verschweigen, daß gerade das Ausmisten uns vor eine neue Situation stellt. Statistisch ist es bewiesen, und wir sind stolz darauf, daß Elis die wenigsten Tuberkulosekranken in ganz Griechenland aufweist dank der Tatsache, daß der Mist, und besonders unser Mist, auf diese Krankheit hemmend wirkt. Misten wir daher aus, so ist, so sehr wir von der Notwendigkeit des Ausmistens zutiefst überzeugt sind, leider zu befürchten, daß unser heiligstes Gut, unsere Volksgesundheit, untergraben wird.

EINE STIMME: Bilden wir eine Zwischenkommission!

ALLE: Beschlossen schon: Wir bilden eine Zwischenkommission!

AUGIAS *mit der Glocke:* Kleisthenes vom mittlern Grütt hat das Wort.
KLEISTHENES VOM MITTLERN GRÜTT: Meine Herren: Zutiefst von der Notwendigkeit des Ausmistens überzeugt, ist es meine Pflicht, Ihnen schlicht zuzurufen: Unser heiligstes Gut ist unsere Sittlichkeit! *Bravorufe.* Unser Familienleben, *Bravorufe,* das nur in der trauten, warmen Gemütlichkeit des Mistes gedeiht. Misten wir aus, verlassen unsere Söhne und Töchter am Abend das Haus!

EINER: Ausmisten ist ungemütlich!
EINE STIMME: Bilden wir eine Unterkommission!
ALLE: Beschlossen schon: Wir bilden eine Unterkommission!
EINIGE: Zutiefst von der Notwendigkeit des Ausmistens überzeugt.
ANDERE: Können wir jedoch unsere heiligsten Güter nicht preisgeben.
EINER: Den urchigen Schatz unserer Volkslieder!
EIN ZWEITER: Das seelische Leben unserer Kinder.
EIN DRITTER: Unsere Stiefelindustrie!
EIN VIERTER: Unsere Freiheit!
EIN FÜNFTER: Unsere Mistausfuhr!
EIN SECHSTER: Unsere Armee, für den Mistkrieg ausgebildet!
EIN SIEBENTER: Unsere alten Familien: im Mist groß geworden!
EIN ACHTER: Unsere pharmazeutischen Fabriken: der Mist ist die Grundlage ihrer Produktion.
EIN NEUNTER: Unsere schlichte, griechische Tradition.
EINE STIMME: Bilden wir eine Oberkommission.
ALLE: Beschlossen schon: Wir bilden eine Oberkommission!
EIN ZEHNTER: Ich protestiere: Wir haben auszumisten und keine Zeit zu verlieren.

EIN ELFTER: Laßt uns eine Überkommission einführen, diese Frage zu studieren!
ALLE: Beschlossen schon: Wir bilden eine Überkommission.
EIN ZWÖLFTER: Kommissionen kosten Millionen!
EIN DREIZEHNTER: Ob sich diese Millionen lohnen, klären nur neue Kommissionen.
ALLE: Beschlossen schon: Wir bilden eine Oberüberkommission.
DER VIERZEHNTE: Die genügt nicht allein.
ALLE:

Dann setzen wir Kommissionen ein
Millionen ein
Zu prüfen ob der Mist
Wenn er einmal nicht mehr ist

EINER: Die Tiefe der Religion verhindert
EIN ANDERER: Den elischen Sport zu Exzessen reizt
EIN DRITTER: Die Löhne der Postangestellten mindert
EIN VIERTER: Die Reichen verarmt und die Armen betört
EIN FÜNFTER: Dem vierten Stand wehrt und den Viehstand nährt
EIN SECHSTER: Die Kassen entleert und die Wähler aufklärt
EIN SIEBENTER: Der Mist nimmt zu, wir kommen zu spät!
ALLE:

Das kommen wir nie!
In der elischen Politik
In der elischen Politik
Ist es nie zu spät, doch stets zu früh!

POLYBIOS: Dieser hemmungslose Ausbruch der Kommissionen kam für uns, die wir mit der elischen Politik nicht vertraut waren, überraschend. Wir bemühten uns vergeblich, den Grund zu finden. Sei es, daß die Elier die Begeisterung ihrer Frauen für den Helden mit Mißtrauen be-

DEJANEIRA *leise:* Wenn du jetzt gehst, muß ich Phyleus aufgeben und den Traum, meine goldene Kadmeia zu errichten.
HERKULES: Dann komm eben mit mir.
DEJANEIRA: Das ist unmöglich geworden. Du hättest mir nie vorschlagen, bei Phyleus zu bleiben, und ich nie einwilligen dürfen. Aber wir haben es getan. Wir wollten beides, die Freiheit und die Liebe, und so haben wir mit unserer Liebe gespielt und beides verloren. Nun dürfen wir nicht mehr beieinander bleiben.
HERKULES: So wollen wir uns noch etwas gedulden. Doch weil wir Geld brauchen, will ich mich im elischen Nationalzirkus Tantalos verbeugen. Was ist schon daran.

Tusch.

TANTALOS: Meine Damen und Herren, mesdames et messieurs, ladies and gentlemen! Nach dem Trapezakt der Gebrüder Kephalos, dem dressierten Gorilla und der Nackttänzerin Xanthippe ist es mir eine große Ehre und habe ich das unaussprechliche Vergnügen, Ihnen in einer Sonderschau nicht nur die Sensation des Jahrhunderts, sondern auch unseres griechischen Jahrtausends vorstellen zu dürfen, unsern verehrten Nationalhelden Herkules, den Besieger des nemeischen Löwen, des erymanthischen Ebers, des kretischen Minotaurus und der lernäischen Hydra, wie diese menschenmordenden Monstren in der Sprache der edlen Philosophie heißen, die wir Griechen erfunden haben und auf die wir stolz sind. Da kommt er schon. *Bravorufe.* Da schreitet er schon daher. Sie sehen den Helden, ladies and gentlemen, meine Damen und Herren, mesdames et messieurs, den Heros, im bloßen Löwenfell mit der fürchterlichen Keule in der Rechten, die noch keiner unserer Olympiasieger je zu schwingen vermochte, den weltberühmten Bogen in der Linken, den nur er selbst zu spannen versteht, sei es, wenn er mitten ins Herz eines zähnefletschenden Ungeheuers oder eines schnaubenden Riesen zielt, sei es, wenn er den königlichen Adler im Fluge erlegt. Den silbernen Köcher trägt er auf dem Rükken, wenn Sie sich an den vergifteten Pfeilen ritzen, mesdames et messieurs, ladies and gentlemen, meine Damen und Herren, sind Sie unwiderruflich tot. Nun verbeugt er sich, nun erblicken Sie den Nacken, den so manche schöne Jungfrau umschlang, die Schultern, die das Himmelsgewölbe trugen, und nun, meine Damen und Herren, ladies and gentlemen, mesdames et messieurs, schreitet das Vorbild der Jugend, das Urbild des Helden und das Wunschbild der Damen von hinnen, neue Höchstleistungen auf sportlichen, erotischen und patriotischen Gebieten zu vollbringen.

Tusch, Bravorufe.

POLYBIOS: Das elische Zirkuspublikum jubelte. Herkules erhielt fünfhundert Drachmen pro Abend, der Schneider Leonidas konnte bezahlt werden, und wir hätten aufgeatmet, wenn die Angelegenheit des elischen Mistes nicht vor den pangriechischen Rat gekommen wäre. Der Vertreter Arkadiens führte nämlich aus, und damit traten zu den innenpolitischen noch die außenpolitischen Schwierigkeiten:

Es ist klar, daß der Beschluß des elischen Parlaments, auszumisten, darauf zielt, die Wirtschaft Arkadiens zu vernichten, die auf dem Fremdenverkehr fußt. Indem sich Elis anschickt, auszumisten, um den Fremdenverkehr einzuführen, läuft das Abkommen der griechischen Staaten, den Fremdenverkehr betreffend, Gefahr, durch ein unsauberes Geschäft begraben zu werden.

POLYBIOS: Während der Vertreter Athens meinte:

Ich möchte dem pangriechischen Rat zurufen: Vergessen wir nicht, daß Herkules aus Theben kommt. Was verbirgt sich nun hinter dem thebanischen Versuch, ausgerechnet in Elis die Kultur einführen zu wollen? Nur die Absicht, in Griechenland die Oberherrschaft zu errichten, welche nicht nur den Verlust unserer Freiheit herbeiführen wird, sondern auch jenen unserer Kultur, ohne die es keine Freiheit gibt!

POLYBIOS: Der Vertreter Spartas dagegen witterte eine andere Gefahr:

Wir lassen uns nicht täuschen. Der Beschluß, in Elis auszumisten, zielt dahin, unser Gesellschaftssystem zu untergraben. Hinter Augias steht die makedonische Arbeiterpartei, meine Herren. Nicht Elis ist auszumisten, sondern Makedonien!

POLYBIOS: Worauf der Vertreter Makedoniens entgegnete:

Hinter der angeblichen Zivilisierung des elischen Staates stecken die spartanischen Kapitalisten und Sklavenbesitzer, die hoffen, die elische Arbeiterschaft zu ruinieren, indem sie durch Abschaffung des natürlichen Reichtums, den der Mist darstellt, jene wenigen unterstützen, die es sich leisten können, ohne Mist zu leben!

POLYBIOS: Kurz und gut: Diese Reden vor dem pangriechischen Rat, die jede mehrere Kommissionen sowohl in Elis als auch in den betreffenden Staaten und im pangriechischen Rat selbst zur Folge hatten, stimmten Herkules um so trauriger, als er schon nach der dritten Vorstellung eine peinliche Unterredung mit dem Zirkusdirektor Tantalos hatte.

HERKULES: Sie geben mir dreihundert Drachmen zu wenig, Herr Tantalos. Wir haben fünfhundert abgemacht.
TANTALOS: Die Abendkasse, Maestro, war nicht ein Drittel voll.
HERKULES: Aber der Zirkus war doch gefüllt!
TANTALOS: Freikarten, Maestro, Freikarten. Ohne Freikarten ist mit Ihnen das Zelt nicht zu füllen. Verbeugen allein genügt nicht. Das kann jeder. Der moderne Mensch will mehr. Aber wenn sich der hochverehrte Maestro entschließen könnte, mit meinem Berufsathleten zu ringen, bitte sehr, wird der Zirkus auf Monate hin ausverkauft sein und ich biete sechshundert Drachmen pro Abend...

POLYBIOS: Herkules entschloß sich, doch schon nach wenigen Tagen bemerkte der Zirkusdirektor...

TANTALOS: Schon wieder etwas weniger in der Abendkasse, hochverehrter Maestro. Kann leider, leider nur dreihundert zahlen. Mein Berufsathlet kämpft aber auch ganz ungenügend. Ist ja auch kein Gegner für einen Nationalhelden. Viel zu flau. Habe jedoch ein wunderschönes Nashorn in meiner Menagerie. Einen Prachtsbullen. Wenn Sie einmal mit dem ringen wollten, ein einziges Mal, für siebenhundert Drachmen...

POLYBIOS: Herkules rang. Er rang später auch mit einem Mammut, dann mit zweien, boxte mit einem Gorilla, stemmte Gewichte.

TANTALOS: Mesdames et messieurs, meine Damen und Herren, ladies and gentlemen. Nach dem Ringkampf unseres Nationalhelden mit dem Walroß, habe ich das unbeschreibliche Vergnügen, Ihnen nun, ladies and gentlemen, mesdames et messieurs, meine Damen und Herren, einen phänomenalen Kraftakt des Gigantenbesiegers vorzuführen: Herkules wird tausend Tonnen stemmen. Tausend Tonnen! Die Gewichte, meine Damen und Herren, ladies and gentlemen, mesdames et messieurs, sind vom elischen Amt für Maß und Gewicht geprüft worden, die Zeugnisse können jederzeit bei der Direktion besichtigt werden.

Bravorufe, Tusch.

PHYLEUS: Dejaneira!
DEJANEIRA: Phyleus?
PHYLEUS: Ich habe dich überall gesucht, in der ganzen Stadt, und nun finde ich dich in der Zirkusloge.
DEJANEIRA: Herkules stemmt eben Gewichte.
DIE ZUSCHAUER: Hoh-ruck!
TANTALOS: Beachten Sie, mesdames et messieurs, ladies and gentlemen, meine Damen und Herren, das Muskelspiel des Helden, diese Symphonie der Kraft, erzittern Sie, erschauern Sie, eine einmalige Gelegenheit, männliche Schönheit in höchster Vollendung zu bewundern.
PHYLEUS: Es ist schändlich. Der Mann, der unser Land ausmisten könnte, diese einzige wirklich positive Kraft, muß im Zirkus auftreten!
DEJANEIRA: Wir haben Geld nötig.
DIE ZUSCHAUER: Hoh-ruck!
TANTALOS: Tausend Tonnen, meine Damen und Herren, tausend Tonnen!
PHYLEUS: Wenn wir heiraten, Dejaneira, besitze ich Geld, weil mein Vater mich auszahlen muß. Laß uns heiraten, schon morgen, und Herkules braucht nicht mehr diesem Gewerbe nachzugehen, das ihn entwürdigt.
DEJANEIRA: Gewiß, lieber Phyleus.
DIE ZUSCHAUER: Hoh-ruck!
TANTALOS: Tausendfünfhundert Tonnen, ladies and gentlemen, tausendfünfhundert!
PHYLEUS: Ich bin sicher, daß es doch noch zum Ausmi-

sten kommt. Du wirst sehen. Der Direktor vom Wasseramt steht durchaus positiv dazu.

DEJANEIRA: Das ist schön von ihm.

DIE ZUSCHAUER: Hoh-ruck!

TANTALOS: Zweitausend Tonnen, mesdames et messieurs, zweitausend!

PHYLEUS: Und der Sohn des athenischen Gesandten will noch einmal mit seinem Vater reden.

DEJANEIRA: Aber ja.

DIE ZUSCHAUER: Hoh-ruck!

TANTALOS: Zweitausendfünfhundert, meine Damen und Herren, mesdames et messieurs, ladies and gentlemen! Zweitausendfünfhundert Tonnen! Da die Gewichte vom elischen Amt für Maß und Gewicht geprüft sind, bedeutet dies einen neuen Weltrekord, und ich habe die Ehre, unserem Nationalhelden im Namen der Direktion des Nationalzirkus Tantalos den goldenen Weltmeisterschaftslorbeer der Gewichtsstemmer zu überreichen!

PHYLEUS: Glaube nur, Dejaneira, glaube fest daran, daß es uns gelingen wird, Elis auszumisten, hier ein menschenwürdiges Land zu errichten. Glaube immer daran. Morgen bist du meine Frau.

DEJANEIRA: Ich liebe dich, Phyleus.

POLYBIOS: Doch als Herkules vom Zirkus auf den Felsen zurückkehrte – ohne den goldenen Lorbeer, da ihn der Direktor nach der Vorstellung wieder verlangt hatte – wartete der Sauhirt Kambyses auf ihn.

HERKULES: Was hast du denn, Kambyses? Du bist bleich und mager geworden.

KAMBYSES: Ich bin am Ende meiner Kraft.

HERKULES: Was soll das heißen?

KAMBYSES: Ich habe Unmenschliches geleistet.

HERKULES *erschrocken:* Du willst demissionieren?

KAMBYSES: Laß mich wieder Schweine hüten.

ten Heimat Schönheit und Geist gab, die ihm offenbart hatte, was sein Land hätte sein können, hatte ihn verlassen. Er weinte lange an der öden Stelle. Dann ging er nach Elis hinunter. Vor seinem Hause fand er den Vater Augias.

AUGIAS: Mein Sohn.
PHYLEUS: Sie haben uns verlassen, mein Vater. Der Felsen ist leer.
AUGIAS: Ich weiß, mein Sohn Phyleus. Schon machen sich die Gläubiger auf, ihnen zu folgen.
PHYLEUS: Wohin?
AUGIAS: Irgendwohin. Die Gläubiger werden sie schon finden.
PHYLEUS: Du hättest Herkules hindern sollen, unser Land zu verlassen.
AUGIAS: Niemand kann Herkules hindern. Er ist die einmalige Möglichkeit, die kommt und geht.
PHYLEUS: Nun ist sie vertan, die einmalige Möglichkeit. Das ist dein Werk, Vater.
AUGIAS: Ich bin nur der Präsident des großen Rates, mein Sohn.
PHYLEUS: Du wolltest doch ausmisten!
AUGIAS: Das wollten wir alle.
PHYLEUS: Warum wurde dann nicht ausgemistet, Vater?
AUGIAS: Weil die Elier sich vor dem fürchteten, was sie wollten, und von dem sie wußten, daß es vernünftig war, mein Sohn.
PHYLEUS: Das hast du immer gewußt?
AUGIAS: Immer.
PHYLEUS: Und trotzdem ließest du Herkules kommen?
AUGIAS: Trotzdem.
PHYLEUS: Ich verstehe dich nicht mehr, mein Vater.
AUGIAS: So komm in meinen Garten.
PHYLEUS: Es gibt einen Garten in Elis?
AUGIAS: Du bist der erste, der ihn betreten darf.

PHYLEUS: Mein Vater!
AUGIAS: Mein Sohn?
PHYLEUS: Alles voll Blumen. Bäume voller Früchte!
AUGIAS: Greif den Boden.
PHYLEUS: Erde!
AUGIAS: Aus Mist ist Erde geworden. Gute Erde. Siehst du, mein Sohn, an diesem Garten habe ich ein Leben lang im geheimen gearbeitet, und so schön er ist, er ist ein etwas trauriger Garten. Ich bin kein Herkules, und wenn nicht einmal er der Welt seinen Willen aufzuzwingen vermag, wie wenig erst vermag ich es. So ist dies der Garten meiner Entsagung. Ich bin Politiker, mein Sohn, kein Held, und die Politik schafft keine Wunder. Sie ist so schwach wie die Menschen selbst, nicht stärker, ein Bild nur ihrer Zerbrechlichkeit. Sie schafft nie das Gute, wenn wir selbst nicht das Gute tun. Und so tat ich denn das Gute. Ich verwandelte den Mist in Humus. Es ist eine schwere Zeit, in der man nur so wenig für die Welt zu tun vermag, aber dieses Wenige sollen wir wenigstens tun: das Eigene. Die Gnade, daß unsere Welt sich erhelle, kannst du nicht erzwingen, doch die Voraussetzung in dir kannst du schaffen, daß die Gnade – wenn sie kommt – in dir einen reinen Spiegel finde für ihr Licht. Du hast eine Frau geliebt und verloren. Sie war nicht für uns geschaffen. Zu finster ist es noch. So sei denn dieser Garten dein. Wenig gebe ich dir, ich weiß, doch sei nun wie er: verwandelte Ungestalt. Trage du nun Früchte. Ersetze mit dir selbst das Verlorene. Wage jetzt zu leben und hier zu leben, mitten in diesem gestaltlosen wüsten Land: die Heldentat, die ich dir nun auferlege, Sohn, die Herkulesarbeit, die ich auf deine Schulter wälze.

DAS UNTERNEHMEN

DER WEGA

DIE STIMMEN

Mannerheim
Sir Horace Wood
Kapitän Lee
Oberst Camille Roi
Der Kriegsminister
Der Minister für außerirdische Gebiete
Der Staatssekretär
John Smith
Petersen
Irene
Bonstetten
Eine Stimme

MANNERHEIM: Herr Präsident der freien, verbündeten Staaten Europas und Amerikas. Indem ich auf unsere Unterredung zurückkomme, sei es mir gestattet, die Aufnahmen vorzulegen, die ich auf Ihren Wunsch hin, Herr Präsident, während des Unternehmens der Wega gemacht habe und die seine Exzellenz Sir Horace Wood betreffen sowie die Verhandlungen, die er führte, und ich verbleibe in unwandelbarer Treue und Hochachtung auch in den dunklen Zeiten, in denen wir uns befinden, Ihr Dr. med. Mannerheim, Mitglied des Geheimen Dienstes.
Zuerst die Aufnahme vom Start.

EINE STIMME: Passagiere des Raumschiffes Wega einsteigen bitte.
WOOD: Nun, das gilt uns, Mannerheim. Wir müssen die Erde verlassen. Die anderen Herren sind an Bord.
MANNERHEIM: Ich bitte Eure Exzellenz, den Hut aufzusetzen und die schwarze Brille.
WOOD: Selbstverständlich.
MANNERHEIM: Spione könnten uns erkennen.
WOOD: Das ist immer zu befürchten.
MANNERHEIM: Ist dies Ihre erste Raumfahrt, Sir Horace Wood?
WOOD: Die erste. Da staunen Sie. Jedes Kind segelt heutzutage zum Mond, macht eine Reise zum Mars. Unsere Träume sind wahr geworden. Aber ich liebe die Erde zu sehr und die Träume zu wenig. – Ist ja auch kein Klima außerhalb unseres Planeten, das nur halbwegs angenehm wäre, hört man sagen.
MANNERHEIM: In der Tat, Exzellenz.
EINE STIMME: Passagiere des Raumschiffes Wega einsteigen bitte, Passagiere des Raumschiffes Wega einsteigen bitte.

Schritte.

DER KAPITÄN: Exzellenz.

WOOD: Sie sind der Kapitän?
DER KAPITÄN: Kapitän Lee. Darf ich Eure Exzellenz zur Kabine begleiten?
WOOD: Sie gehen zu liebenswürdig mit Leuten wie mir um, Kapitän. Mit Außenministern muß man gröber sein.
DER KAPITÄN: Hier, Exzellenz.
WOOD: Sieht fremdartig aus.
DER KAPITÄN: Doktor Mannerheim steht zu Ihrer Verfügung.
WOOD: Danke.
MANNERHEIM: Ich schnalle Sie nun an, Exzellenz.
WOOD: Bitte.
MANNERHEIM: Geht es so, Exzellenz?
WOOD: Gefesselt.
MANNERHEIM: Ich gebe Ihnen etwas Coramin. Nun lasse ich Sauerstoff und Helium in die Kabine strömen.
WOOD: Wie Sie wünschen.
Ein leises Zischen.
MANNERHEIM: Möchten Exzellenz den Abflug beobachten?
WOOD: Bin neugierig.
MANNERHEIM: Sie sehen den Flugplatz.
WOOD: Spaßig. Kein Mensch zu sehen.
MANNERHEIM: Sie halten sich in den Bunkern auf.
WOOD: Ein schöner Morgen.
MANNERHEIM: Das rote Licht, Exzellenz. In zwanzig Sekunden starten wir.
WOOD: Schade, wegfliegen zu müssen. Wäre gern fischen gegangen.
MANNERHEIM: Noch zehn Sekunden.
WOOD: Und nun kommt auch noch die Sonne.
MANNERHEIM: Wir starten.
Leiser Summton.
WOOD: Da sehen wir schon die Hauptstadt und nun das Meer. Die Erde fällt von uns weg, Mannerheim.

MANNERHEIM: Ist der Druck auszuhalten?
WOOD: Es geht.
MANNERHEIM: Er nimmt zu.
WOOD: Etwas merkwürdig, wenn man es zum ersten Mal erlebt.
MANNERHEIM: Ruhig atmen!
WOOD: Gebe mir Mühe.
MANNERHEIM: Die Wega muß eine Geschwindigkeit von sechsunddreißigtausend Kilometer in der Stunde erreichen.
WOOD: Mir unsympathisch. Mit dem Auto fahre ich nie mehr als siebzig.

Schweigen. Nur der Summton.

WOOD: Mannerheim?
MANNERHEIM: Exzellenz?
WOOD: Sie sind der Leibarzt des Präsidenten?
MANNERHEIM: Sein Reisearzt. Ich begleite ihn zum Mars.
WOOD: Und er bestimmte Sie, mich auf die Venus zu begleiten?
MANNERHEIM: Eine große Ehre, Exzellenz.
WOOD: Hm.
MANNERHEIM: Das gelbe Licht. Nun ist der Druck der Beschleunigung am größten.
WOOD: Offenbar.
MANNERHEIM: Das grüne Licht. Wir haben die nötige Geschwindigkeit erreicht. Die Anziehungskraft der Erde ist überwunden.
WOOD: Da wären wir.

Der Summton hat aufgehört.

MANNERHEIM: Achttausend Kilometer über der Erde.
WOOD: Etwas hoch.
MANNERHEIM: Darf ich Exzellenz abschnallen?
WOOD: So ist mir auch wohler. Schön die Erde.
MANNERHEIM: Nicht wahr?
WOOD: Ein gebogener Schild. Schade, daß sie falsch ist.
MANNERHEIM: Falsch, Exzellenz?

WOOD: Ihre Bewohner sagen nicht immer die Wahrheit.
MANNERHEIM: Wünschen Exzellenz den Beobachtungsraum zu besuchen?
WOOD: Führen Sie mich.

Schritte.

MANNERHEIM: Darf ich Oberst Roi vorstellen?
WOOD: Oberst Camille Roi?
ROI: Gewiß, Exzellenz.
WOOD: Der vor einem Jahr den Handstreich auf Hanoi durchführte?
ROI: Gewiß, Exzellenz.
WOOD: Und vor drei Jahren jenen auf Warschau?
ROI: Exzellenz besitzen ein gutes Gedächtnis.
WOOD: Nur mein Beruf, Roi, nur mein Beruf. Doch da kommt der Kriegsminister.
KRIEGSMINISTER: Da sind Sie ja, Wood. Ein Puff, und schon schwebt man im Weltenraum. Großartig. War auch begeistert, als ich dies vor zwanzig Jahren zum ersten Mal mitmachte. Bequem geworden, das Raumreisen. Traf neulich einen Mummelgreis, dessen Urgroßvater noch die Pionierzeit erlebte. Die Brüder schwebten damals wie Engelchen in der Rakete herum und beim Start wurden sie zu Brei gequetscht. Hatten weder eigene Schwerkraft noch einen Schutz gegen die Beschleunigung. War noch ein primitives Völkchen. Und da sieht man ja auch die Erde. Imposant, eine freischwebende Kugel, wie der Globus im Geographieunterricht, der Himmel dunkelviolett mit einer Sonne drin und Millionen von Sternen. Ein Panorama, Wood, ein Panorama: Da lernt ihr endlich einmal im Außenministerium, was es heißt, einen weiten Horizont haben.
MANNERHEIM: Nun eine Aufnahme der Konferenz, die drei Tage später an Bord der Wega stattfand, sämtliche Minister und Staatssekretäre vereinigte und von Seiner Exzellenz Sir Horace Wood präsidiert wurde.

WOOD: Meine Herren. Ich gebe zuerst einen kurzen Überblick. Seien wir uns im klaren, was wir wollen, was wir tun müssen. Seit 1945 haben wir keinen Weltkrieg mehr gehabt, das sind nun dreihundertzehn Jahre. Es folgte die Periode der partiellen Konflikte: der Koreakrieg, der Bürgerkrieg in Indien, die australische Niederlage, und wie diese Konflikte alle heißen. Jetzt ist ein neuer Weltkrieg unvermeidlich geworden, so schrecklich dies auch für einen Außenminister zuzugeben ist. Dreihundert Jahre lang hat sich die Welt auf ihn vorbereitet. Die Diplomatie ist am Ende ihrer Künste, der kalte Krieg läßt sich nicht mehr verlängern, ein Friede ist unmöglich, die Notwendigkeit, einen Krieg zu führen, größer als die Furcht vor ihm. Die freien, verbündeten Staaten Europas und Amerikas stehen Rußland und dem verbündeten Asien, Afrika und Australien gegenüber. Die beiden Gegner sind annähernd gleich mächtig. Annähernd. Dies ist der traurige Grund, weshalb sich Mitglieder der freien, verbündeten Staaten auf dem Raumschiff Wega befinden. Ich möchte nun dem Minister für außerirdische Gebiete das Wort erteilen.

MINISTER FÜR AUSSERIRDISCHE GEBIETE: Exzellenzen, meine Herren. Unsere Lage ist nicht ganz glücklich. Der Mond ist verloren, ein Verlust, den ich persönlich noch schmerzlicher empfinde als jenen Australiens. Der Vertrag von New Delhi hat uns die ganze der Erde zugewandte Seite entrissen, und die der menschlichen Natur so feindlichen Eigenschaften, die auf ihm herrschen, machen einen Krieg gegen die russischen Mondforts leider unmöglich.

KRIEGSMINISTER: Wir hätten den Vertrag von New Delhi nie unterschreiben dürfen!

WOOD: Ich machte den Kriegsminister Costello aufmerksam, daß auch er keine andere Lösung fand, als ich gezwungen war, diesen Vertrag, den ich bedaure, zu unterschreiben. Es gab keine andere Politik, und zu etwas anderem als Politik waren wir nicht gerüstet. Ich bitte den Minister für außerirdische Gebiete, weiterzufahren.

MINISTER FÜR AUSSERIRDISCHE GEBIETE: Exzellenzen, meine Herren. Der Mars hat sich neutral erklärt und ist zu mächtig, um zur Parteinahme zu unseren oder zu Gunsten Rußlands gezwungen werden zu können. Bleibt die Venus. Ich bitte, dem Staatssekretär für die dortigen Angelegenheiten das Wort zu erteilen.

WOOD: Der Staatssekretär für die Angelegenheiten auf der Venus hat das Wort.

STAATSSEKRETÄR: Exzellenzen. Ich glaube, es ist von Bedeutung, daß sich die hier versammelten Mitglieder der Regierung von den Verhältnissen auf der Venus ein Bild machen. Klimatisch ist dieser Planet eine Katastrophe. Er befindet sich in einem Zustand wie die Erde vor etwa hundertfünfzig Millionen Jahren. Die Venus ist für eine anständige menschliche Besiedlung ungeeignet, sowohl Rußland als auch unsere verbündeten Staaten haben denn auch die Kommissäre zurückgezogen.

WOOD: Ich hörte anderes darüber.

STAATSSEKRETÄR: Um genau zu sein, Sir Horace Wood, weigerten sich unsere und die russischen Kommissäre, auf die Erde zurückzukehren, worauf wir und auch Rußland es unterließen, neue hinzuschicken.

WOOD: Wie hieß unser letzter Kommissär?

STAATSSEKRETÄR: Bonstetten.

WOOD: Wann trat er zurück?

STAATSSEKRETÄR: Vor zehn Jahren.

WOOD: Warum kehrte er nicht zurück?

STAATSSEKRETÄR: Der Grund ist nicht bekannt.

WOOD: Fahren Sie fort, Herr Staatssekretär.

STAATSSEKRETÄR: Exzellenzen, meine Herren. Wenn auch der Planet Venus sich für eine Besiedlung nicht eignet, so ist er doch von einem gewissen Nutzen. Sowohl wir als auch Rußland und seine Verbündeten haben die Venus seit zweihundert Jahren als Strafkolonie verwendet und benützen sie auch heute noch ausschließlich zu diesem Zweck. Unsere Raumschiffe laden die Verurteilten aus und entfernen sich wieder, ohne mit den Häftlingen in nähere Berührung zu treten.

WOOD: So sind diese Häftlinge frei?

STAATSSEKRETÄR: Frei in bezug auf die Venus. Für die Erde sind sie tot.

WOOD: Und die politischen Verhältnisse?

STAATSSEKRETÄR: Unbekannt.

WOOD: Die Einwohnerzahl?

STAATSSEKRETÄR: Unbekannt.

WOOD: Wie viele schicken wir hinauf?

STAATSSEKRETÄR: Jährlich dreißigtausend.

WOOD: Rußland?

STAATSSEKRETÄR: Unbekannt.

WOOD: Ich verstehe nicht, wozu wir die Abteilung für die Angelegenheiten auf der Venus brauchen, wenn wir von diesem Planeten nichts wissen.

STAATSSEKRETÄR: Es ist Aufgabe dieser Abteilung, die Gefangenentransporte zu organisieren, Exzellenz. Was mit den Gefangenen nachher geschieht, ist nicht Sache der Abteilung. Hauptsache ist, daß wir die Häftlinge abgeschoben haben.

WOOD: Welcher Art sind die Verurteilten, die wir nach der Venus schicken?

STAATSSEKRETÄR: Moralisch minderwertiges Menschenmaterial. Kriminelle und dann in erster Linie jene Leute, die kommunistische Ideen vertreten und aus Sicherheitsgründen entfernt werden müssen.

WOOD: Und wen schickt Rußland auf die Venus?

STAATSSEKRETÄR: Auch Kriminelle und dann natürlich jene Leute, die westliche Ideen vertreten und aus Sicherheitsgründen entfernt werden müssen.

WOOD: Es befindet sich demnach nicht nur moralisch minderwertiges Menschenmaterial auf der Venus. Ich bitte nun den Kriegsminister, uns über seine Ziele zu unterrichten.

KRIEGSMINISTER: Ganz einfach. Es gilt, die Bagage da oben für einen Krieg gegen Rußland und Asien zu gewinnen. Strategisch besitzt der Planet Venus den Vorteil, daß die Wolkenschicht seiner Atmosphäre eine Beobachtung der Oberfläche unmöglich macht. Ein Angriff kann im geheimen vorbereitet werden, was auf der Erde unmöglich ist, da sowohl wir als auch die Russen künstliche Monde besitzen, von denen aus wir einander beobachten. Ich schätze die Bevölkerung des Planeten auf zwei Millionen. Für einen Wasserstoff- und Kobaltbombenangriff auf Asien und Rußland brauche ich zweihunderttausend Mann. Die Raumschiffe und die Bomben können sie selber herstellen, wenn wir einige Wissenschaftler auf der Venus lassen.
WOOD: Haben sich solche Wissenschaftler zur Verfügung gestellt?
KRIEGSMINISTER: Sie befinden sich an Bord.
WOOD: Mit wem verhandeln wir?
MINISTER FÜR AUSSERIRDISCHE GEBIETE: Mit einem gewissen Petersen.
WOOD: Besitzen wir nähere Angaben über diesen Herrn?
MINISTER FÜR AUSSERIRDISCHE GEBIETE: Ein Mörder aus Deutschland.
KRIEGSMINISTER: Schöne Aussichten.
MINISTER FÜR AUSSERIRDISCHE GEBIETE: Dann mit einem John Smith.
WOOD: Was wissen wir über ihn?
MINISTER FÜR AUSSERIRDISCHE GEBIETE: Er ist auf der Venus geboren und der Sohn eines amerikanischen Kommunisten.
KRIEGSMINISTER: Noch besser.

MINISTER FÜR AUSSERIRDISCHE GEBIETE: Endlich mit einem Jakob Petrov, von dem wissen wir gar nichts.
KRIEGSMINISTER: Scheint ein Russe zu sein.
WOOD: Meine Herren. Unsere Mission ist vom Präsidenten beschlossen worden. Zu unser aller Überraschung und etwas überstürzt, wie es sich nun zeigt, da wir von der Venus nicht viel wissen. Ich habe diese Mission zu leiten. Wir stehen vor einer schweren Aufgabe. Noch wissen wir nicht, was die Bevollmächtigten dieses Planeten verlangen, wie mit ihnen zu verhandeln ist, ob wir eine Diktatur vorfinden oder ein parlamentarisches Staatswesen ähnlich dem unsrigen. Die Lage ist ernst. Wir müssen alles wagen, wenn wir nicht alles verlieren wollen, und es bleibt mir nichts anderes übrig, als nun dem Unternehmen der Wega das Beste zu wünschen.

MANNERHEIM: Bevor ich zu den Ereignissen auf der Venus komme, gebe ich noch zwei Gespräche wieder, die Seine Exzellenz Sir Horace Wood führte. Das erste mit mir beim Anblick der Venus, die, nun groß wie der Mond, doch von viel heftigerem Licht, vor uns im Raume hing, drohend, weiß.
WOOD: Wann landen wir, Mannerheim?
MANNERHEIM: In sechs Stunden, Exzellenz.
WOOD: Noch sechs Stunden, und Ihre Aufgabe beginnt.
MANNERHEIM: Meine Aufgabe, Exzellenz?
WOOD: Der Präsident hat Sie beauftragt, mich zu beaufsichtigen. Er fürchtet, daß auch ich auf der Venus bleibe wie unsere Kommissäre.
MANNERHEIM: Ich verstehe nicht, Exzellenz –
WOOD: Sie sind Mitglied des Geheimen Dienstes.
MANNERHEIM: Exzellenz!
WOOD: Sie haben in der Tasche eine jener kleinen Maschinen, mit denen man die Gespräche aufnehmen kann.
MANNERHEIM: Ich weiß nicht –

WOOD: Aber ich weiß, Mannerheim. Als Mitglied des Geheimen Dienstes werden Sie nie zugeben dürfen, daß Sie dazu gehören. Schweigen wir darüber. Wir wissen ja beide, was auf dem Spiele steht.

MANNERHEIM: Das andere Gespräch fand mit dem Obersten Roi statt, kurz vor der Landung im Beobachtungsraum. Das Gespräch war schwer aufzunehmen, da ich keinen Verdacht erwecken durfte, und weist einige Störungen auf.

WOOD: Eine Frage, Oberst Roi.

ROI: Exzellenz?

WOOD: Warschau, vor drei Jahren, haben Sie mit dem Raumschiff Deneb angegriffen?

ROI: Gewiß.

WOOD: Hanoi, vor einem Jahr, mit dem Raumschiff Atair?

ROI: Richtig.

WOOD: Dann glaube ich mich zu erinnern ... *Rest unverständlich.*

ROI: *Antwort unverständlich.*

WOOD: Beide Raumschiffe waren als Passagierschiffe getarnt?

ROI: Kriegslist, Exzellenz.

WOOD: Dieses Schiff ist die Wega. Ich kenne mich wenig am Himmel aus, doch Atair, Deneb und Wega sind die Namen der Sommersterne?

ROI: Auch.

WOOD: Sind sie etwa auch die Namen ein und desselben Schiffes?

ROI: Exzellenz sind scharfsinnig.

WOOD: Auch nur mein Beruf ... *Das Folgende unverständlich.*

ROI: *Antwort unverständlich.*

WOOD: ... *unverständlich* ... Sie sind ein gefährlicher Bursche, Roi.

ROI: Soldat.
WOOD: Eben. Und an Bord.
ROI: Auf Wunsch des Präsidenten.
WOOD: Mit einigen – Bomben, wie bei Warschau und Hanoi?
ROI: Wüßte nicht wozu.
WOOD: Um den Vorschlägen Nachdruck zu verleihen, die wir den Bewohnern der Venus unterbreiten.
ROI: Ich kann keine Antwort geben, Exzellenz.
WOOD: Das sollen Sie auch nicht, Roi. Die Bewohner der Venus erwarten ein friedliches Schiff. Wir haben ihnen das Wort gegeben, ohne Waffen zu kommen. Mit Verwunderung habe ich Ihre Anwesenheit bemerkt, Oberst, doch weiter darüber nachzudenken, kann ich mir als Außenminister der freien Nationen nicht leisten. Nichts peinlicher als ein Diplomat, dessen rechte Hand weiß, was seine linke tut.
EINE STIMME: Gehen Sie in Ihre Kabinen bitte, gehen Sie in Ihre Kabinen bitte. Anschnallen, bitte anschnallen. Die Wega taucht in die Lufthülle der Venus, die Wega taucht in die Lufthülle der Venus ...
WOOD: Vergessen wir unser Gespräch, Roi.
ROI: Gewiß, Exzellenz.
WOOD: Hoffen wir, daß Sie mich nie daran erinnern müssen. Ich werde es nicht tun.
EINE STIMME: Gehen Sie in Ihre Kabinen, bitte, gehen Sie in Ihre Kabinen bitte. Anschnallen bitte, anschnallen bitte –

MANNERHEIM: Zu der nun folgenden Aufnahme möchte ich noch bemerken, da Sie, Herr Präsident, mich um einen genauen Bericht gebeten haben, daß der Eindruck, den wir von der Venus erhielten, als wir landeten, schwer zu beschreiben und mit den Bildern, die wir von diesem Planeten auf der Erde kennen, nicht wiederzugeben ist. Wir landeten an dem uns angegebenen Punkt nicht weit vom Nordpol des Planeten an der Küste der Newton-Insel. Gewiß, jene Merkmale, die wir in der Schule von der Oberfläche der Venus gelernt haben, waren vorhanden, der Riesenwuchs der Pflanzenwelt, der mit Vulkanen umstellte Horizont, doch nicht dies war das Fürchterliche. Es war die Hitze, die Feuchtigkeit der Luft, die immer spürbaren Erdbeben, die diesen Boden umwühlen, verändern, vernichten und neuschaffen, das Licht, welches unirdisch, seltsam und schwer zu beschreiben ist. Dieser Himmel ist ohne Sonne, ein schwer lastender wogender Wolkenbrei, von unermeßlichen Orkanen durchbrüllt, von einem gleißenden Silber, als wüte hinter den Massen von Dampf und Regengüssen ein tödliches Feuer, ein Eindruck, den die ständigen elektrischen Entladungen der Atmosphäre noch verstärkten. Schon bei der Anfahrt konnten wir kilometergroße Kugelblitze beobachten, die durch die gigantischen Urwälder von Schachtelhalmen und Farngewächsen knatterten. Wir verließen die Wega. Der Boden schwankte, zitterte. Hinter uns lag der Urwald, phantastisch, triefend vor Nässe, vor uns roter, glühender Sand und dann, verschwommen, tosend, ein Ozean. Wir hatten eine riesige Menschenmenge erwartet, einen feierlichen Staatsakt. Seine Exzellenz Wood hielt den kleinen Zettel mit dem Konzept seiner Rede in den Händen, hatte sich auch eine mächtige Hornbrille aufgesetzt, doch sahen wir nichts als drei Männer in zerschlissener Kleidung, die nur aus Hemd und Hose bestand. Sie näherten sich uns zögernd vom Strande her. Wir nahmen an, daß sie uns zum Verhandlungsort führen würden, doch waren es zu unserer Überraschung die Bevollmächtigten selbst.

JOHN SMITH *leise:* Ich bin John Smith.
WOOD: Sir Horace Wood.
JOHN SMITH: Herr Petersen, Herr Petrov.

WOOD: Seine Exzellenz, der Herr Kriegsminister, Seine Exzellenz, der Herr Minister für die außerirdischen Gebiete, meine Hauptmitarbeiter.
JOHN SMITH: Es freut mich.
WOOD: Herr Smith, meine Herren. Der Augenblick, da wir die Venus betreten, ist für uns nicht ohne Größe; nicht ohne Rührung stehen wir auf diesem uns so eigenartigen Boden eines anderen Planeten. – *Donner* – Die vereinigten freien Nationen der Erde, deren Vertreter wir sind, wissen, daß die Ideale – *krachender Donner* – daß die Ideale, denen wir uns untergeordnet haben und denen wir nachzuleben versuchen – *langanhaltender Donner* – die Ideale – *Donner* – der Humanität – *Donner* – und der Freiheit – *krachender Donner* – auch auf der Venus zu finden sind, wenn auch vielleicht unter einer anderen Form – *tosender Donner* –, und so sind wir denn nicht aus irgendwelchen Berechnungen zu Ihnen gekommen – *heranbrüllender Wind* – sondern aus dem spontanen Entschluß, wie schon der alte Thomas Eliot sagte...

Krachender Donner, unermeßliche Windstöße, Regenrauschen.

MANNERHEIM: Seine Exzellenz konnte seine schöne Rede leider nicht vollenden. Ein ungeheuerliches Gewitter brach los, das uns zwang, fluchtartig das Verhandlungsschiff aufzusuchen, eine Art primitives Unterseeboot, das wir durchnäßt erreichten.
Wir waren überrascht. Wir hatten geglaubt, in einer Stadt oder in einem Landhaus zu verhandeln. Ich gebe nun ein Bruchstück der ersten Sitzung mit den Abgeordneten der Venus wieder, die unter fürchterlichen Bedingungen stattfand. Die zwölfköpfige Kommission der vereinigten, freien Staaten war eingepfercht in einen kleinen, schlechtbeleuchteten Raum, der durch die Wogen des fremden Ozeans abenteuerlich hin und her geworfen wurde.

JOHN SMITH: Ich heiße die Vertreter der vereinigten freien Nationen der Erde in unserem Verhandlungsschiff willkommen. Ich bitte, Herrn Petrov zu entschuldigen. Er ist mit der Bedienung des Schiffes beschäftigt.
WOOD: Die Vorschläge, die wir zu unterbreiten haben, sind wichtig. Kann die Bedienung des Verhandlungsschiffes nicht ein anderer als Herr Petrov übernehmen?
JOHN SMITH: Wir haben keinen anderen.

Schweigen.

WOOD: Meine Herren. Ich schlage vor, die Hauptstadt der Venus als Verhandlungsort zu bestimmen.
JOHN SMITH: Wir haben keine Hauptstadt.
WOOD: Eine größere Ortschaft.
JOHN SMITH: Es gibt keine Ortschaften.
WOOD: Wenigstens einen Raum auf dem Festland.
JOHN SMITH: Es gibt keinen anderen Raum. Das Land ist zu unsicher, ein Gebäude zu tragen. Wir leben alle auf Schiffen.
WOOD: Dann bitte ich, besseres Wetter abzuwarten.
JOHN SMITH: Das Wetter auf der Venus ist nie besser. Nur schlechter.
WOOD: Das Gewitter sollte man vorübergehen lassen.
JOHN SMITH: Es herrschen auf der Venus immer Gewitter. Und dies ist nur ein kleines.

Schweigen.

WOOD: Über uns dürfte allgemeine Klarheit herrschen, während wir von den Verhältnissen auf der Venus nicht viel wissen. Darf ich daher fragen, in welchem Verhältnis die hier anwesenden Bevollmächtigten zu ihrer Regierung stehen und wie weit ihre Vollmachten gehen?
JOHN SMITH: Wir haben keine Regierung.
WOOD *verwundert:* Wie soll ich dies verstehen?
JOHN SMITH: Wie ich es sage.
MINISTER FÜR AUSSERIRDISCHE GEBIETE: Herr Petersen!

WOOD: Seine Exzellenz der Minister für außerirdische Gebiete hat das Wort.

MINISTER FÜR AUSSERIRDISCHE GEBIETE: Herr Petersen. Wenn wir Herrn Smith recht verstehen, besitzt die Bevölkerung der Venus keine feste Regierung, sondern nur einen Rat, oder eine Volksvertretung, die in echt demokratischer Form nach dem Willen des Volkes handelt.

PETERSEN: Wir besitzen nichts dergleichen.

MINISTER FÜR AUSSERIRDISCHE GEBIETE: Aber die Venus muß doch regiert werden.

PETERSEN: Die Venus ist groß, und wir sind klein. Sie ist grausam. Wir müssen kämpfen, wenn wir leben wollen. Wir können uns Politik nicht leisten.

KRIEGSMINISTER: Herr Smith!

WOOD: Seine Exzellenz der Kriegsminister hat das Wort.

KRIEGSMINISTER: Sie nennen sich Bevollmächtigter der Venus, Herr Smith.

JOHN SMITH: Ich bin es.

KRIEGSMINISTER: Dann muß Sie doch irgend jemand bevollmächtigt haben!

JOHN SMITH: Ich selbst.

Schweigen.

KRIEGSMINISTER *verwundert:* So handelten Sie in eigenem Namen, als Sie mit uns die Funkverbindungen aufnahmen?

JOHN SMITH: Sie nahmen mit uns Funkverbindungen auf. Es war Zufall, daß wir Ihren Funkspruch hörten. Wir wollten uns mit Nachbarn in Verbindung setzen und hörten die Erde.

KRIEGSMINISTER *ärgerlich:* Worauf Sie der Versuchung nicht widerstehen konnten und sich als Bevollmächtigte der Venus ausgaben.

JOHN SMITH: Was wir auch sind. Es ist unsere Pflicht, mit Ihnen zu verhandeln, weil wir Ihren Funkspruch empfangen haben. Keiner darf sich bei uns um seine Aufgabe

drücken, auch wenn er diese Aufgabe zufällig erhält und sie ihm nicht im mindesten liegt.
KRIEGSMINISTER: Mir zu verrückt.

Schweigen.

WOOD: So würde auch ein anderer mit uns verhandelt haben, wenn er unseren Funkspruch erhalten hätte?
JOHN SMITH: Natürlich.
WOOD: Und wäre als Bevollmächtigter aufgetreten?
JOHN SMITH: Wäre bevollmächtigt gewesen.
KRIEGSMINISTER: Zum Wahnsinnigwerden!
WOOD: Herr Petersen. Ist die Bevölkerung der Venus über unser Kommen informiert?
PETERSEN: Wir haben es dem nächsten Schiff mitgeteilt.
WOOD: Und?
PETERSEN: Wir werden ihnen mitteilen, was wir besprochen haben.
WOOD: Und wenn wir nun einen Vertrag abschließen?
PETERSEN: Werden wir es ihnen auch mitteilen.
WOOD: Wird die Bevölkerung der Venus diesen Vertrag respektieren?
PETERSEN: Wir sind ja die Bevollmächtigten.
WOOD: Ist es möglich, die Schiffe mit der Bevölkerung zu versammeln?
PETERSEN: Wenn es nötig wäre, aber es ist ja nicht nötig.
WOOD: Meine Herren. Als Vorsitzender der Mission der vereinigten freien Nationen der Erde stehe ich vor einer Situation, die ich nicht ganz erwartet habe. Vor allem schlage ich nun vor, daß die hier versammelten Mitglieder unserer Mission sich auf unser Raumschiff zurückziehen, die Lage zu beraten. Rechtlich ist abzuklären, ob wir mit Ihnen, Herr Smith und Herr Petersen, verhandeln können, da wir auf der Venus keinen Staat vorfinden, der als juristische Person auftreten könnte und mit dem Verträge abzuschließen wären, wenn ich mich – ich bin nicht Jurist – recht ausdrücke. Deshalb glaube ich...

MANNERHEIM: Die sechste Aufnahme. Besprechung an Bord der Wega. Das Raumschiff hat die Lufthülle der Venus wieder verlassen und befindet sich tausend Kilometer vom Planeten entfernt.

KRIEGSMINISTER: Eine Minute länger in diesem Klima, und, hops, ich wäre tobsüchtig geworden. Sollten die Russen hierher schicken. Habe noch nie einen unsinnigeren Planeten gesehen.
MINISTER FÜR AUSSERIRDISCHE GEBIETE: Unerträglich.
KRIEGSMINISTER: Beim Abflug sah ich ein Tier. Sah wie ein Chamäleon von fünfzig Metern Länge aus.
MINISTER FÜR AUSSERIRDISCHE GEBIETE: Unanständig.
WOOD: Mir schien die Venus vernünftig. Jedes Mal, wenn ich in meiner Rede auf Ideale zu sprechen kam, hat's gedonnert.
KRIEGSMINISTER: Und wem haben Sie Ihre Rede gehalten, Wood? Drei vertrottelten Fischern, oder was die Halunken sonst sind, die in ihrer Freizeit unsere Funksprüche empfingen und eine diplomatische Mission von drei Ministern und sechs Staatssekretären von der Erde auf ihr lausiges Boot lockten.
MINISTER FÜR AUSSERIRDISCHE GEBIETE: Jahre haben unsere Wissenschaftler gebraucht, einen Apparat zu konstruieren, mit dem man mit der Venus die Funkverbindung aufnehmen kann, ohne daß die Russen dahinter kommen.
KRIEGSMINISTER: Eine lächerliche Angelegenheit!
MINISTER FÜR AUSSERIRDISCHE GEBIETE: Als Minister für die außerirdischen Gebiete habe ich gegen diese Abenteuer stets meine warnende Stimme erhoben.
KRIEGSMINISTER: Eine himmeltraurige Angelegenheit. Fünfundvierzig Millionen Kilometer vergeblich hergebraust. Kehren wir auf die Erde zurück.

MINISTER FÜR AUSSERIRDISCHE GEBIETE: Eine verlorene Sache muß man aufgeben.
WOOD: Die Venus beeindruckt mich. Die Leute da oben sind frei.
MINISTER FÜR AUSSERIRDISCHE GEBIETE: Ich muß meine warnende Stimme erheben!
WOOD: Keine Regierung. Jeder in der Lage, Bevollmächtigter zu sein. Allerhand.
MINISTER FÜR AUSSERIRDISCHE GEBIETE: Peinlich.
WOOD: Es ist immer peinlich, ein Ideal in der Wirklichkeit anzutreffen.
KRIEGSMINISTER: Habe nichts einem Ideal Ähnliches da oben entdeckt.
WOOD: Nun, gibt es eine idealere Politik, als die, keine nötig zu haben?
KRIEGSMINISTER: Sie wollen doch nicht etwa mit diesen Strolchen verhandeln?
WOOD: Unsere einzige Chance, Kriegsminister.
KRIEGSMINISTER: Wood, ich verstehe Sie nicht.
WOOD: Wir müssen Verbündete finden.
KRIEGSMINISTER: Das können wir nie auf der Venus.
WOOD: Nur auf der Venus. Das hat in unserer Anfangskonferenz der Minister für außerirdische Gebiete schlagend bewiesen.
MINISTER FÜR AUSSERIRDISCHE GEBIETE: Ich protestiere. Ich habe im Gegenteil stets meine warnende Stimme erhoben –

WOOD: Meine Herren. Wir dürfen nicht den Kopf verlieren, sonst verlieren wir ihn endgültig. Wir haben uns die Verhältnisse auf der Venus falsch vorgestellt. Wir wußten zwar nicht, was wir zu erwarten hatten, doch wir glaubten, etwas zu finden, was dem ähnlich wäre, was wir auf der Erde kennen. Nun ist es nicht so. Die Bewohner dieses Planeten stehen in einem grausamen Kampf mit der Natur. Sie können keine andere Idee haben, als diesen Kampf zu bestehen, in irgendeiner Art am Leben zu bleiben, auch wenn dieses Leben trostlos ist. Wir sind für sie unwichtig, doch in dem Augenblick, wo wir fähig sind, bei ihnen eine Hoffnung auf eine Änderung ihrer Lage zu erwekken, werden wir wichtig. Und wir sind dazu fähig.

MINISTER FÜR AUSSERIRDISCHE GEBIETE: Sie sind optimistisch.

WOOD: Wir haben es mit Menschen zu tun. Sie sind nicht anders als wir und ebenso leicht zu verführen wie wir.

KRIEGSMINISTER: Sie wollen ihnen Geld anbieten?

WOOD: Etwas Besseres: Macht.

MINISTER FÜR AUSSERIRDISCHE GEBIETE: Was haben Sie vor?

WOOD: Wir erkennen Smith und Petersen als Bevollmächtigte an und ernennen sie damit, da es keine Regierung auf der Venus gibt, zur Regierung.

KRIEGSMINISTER: Wir können doch nicht eine Regierung aus dem Nichts gründen.

WOOD: Aus dem Nichts, aber nicht mit nichts, Kriegsminister. Wir sichern dieser Regierung die Unterstützung und die Macht der vereinigten Staaten des freien Teils der Erde zu.

MINISTER FÜR AUSSERIRDISCHE GEBIETE: Ich möchte meine warnende Stimme erheben. Petersen ist ein Verbrecher.

WOOD: Und? Viele Regierungen, mit denen wir auf der Erde verbündet sind, bestehen aus Verbrechern. Zweitens versprechen wir allen Bewohnern des Planeten die Rückkehr zur Erde, wenn sie mit uns die Russen besiegt haben werden.

KRIEGSMINISTER: Geht dies nicht zu weit?

WOOD: Wir müssen weit gehen, wenn wir ein weites Ziel erreichen wollen.

MINISTER FÜR AUSSERIRDISCHE GEBIETE: Wo sollen wir

sie denn ansiedeln, um Himmels willen? Ich möchte meine warnende –
WOOD: Jedes Klima auf der Erde wird ihnen paradiesisch erscheinen.

Schweigen.

MANNERHEIM: Eure Exzellenz.
WOOD: Was wollen Sie denn, Mannerheim?
MANNERHEIM: Wenn die Bewohner der Venus nicht wollen?
WOOD: Was sollen sie denn nicht wollen?
MANNERHEIM: Zurückkehren, Eure Exzellenz.
WOOD *ärgerlich:* Unsinn, Mannerheim. Es gibt keine Hölle, die man nicht gerne verläßt.
MANNERHEIM: Denken Sie an Bonstetten. Er ist geblieben. Und andere Kommissäre auch.
WOOD: Da machen Sie sich keine Sorgen, junger Mann. Ich kenne Bonstetten. Habe mit ihm in Oxford und Heidelberg studiert. War ein weltfremder Mensch mit konfusen Ideen. Die Venus wird ihn gründlich kuriert haben, darauf können Sie sich verlassen. Werden staunen, wie freudig der mit uns zurückreist.
MANNERHEIM: Und so kehrten wir denn zurück.

Aufnahme der zweiten Landung auf der Venus.

Donner, Regen.

Die Exzellenzen schreiten gegen den Strand, mit Armeemänteln gegen den Regen und gegen den Sand geschützt. Der Regen ist heiß, der Sand fast glühend. Die Temperatur an die fünfzig Grad. Eine Frau kommt uns entgegen. Ich schätze sie auf dreißig Jahre. Sie ist wie die Männer gekleidet, ohne Schutz gegen die Wassermassen, die heruntertosen.

Donner, manchmal näher, manchmal ferner.

IRENE: Sie sind Herr Wood?
WOOD: Gewiß.

IRENE: Ich bin Irene.
WOOD: Sie wollen uns zu Herrn Smith und Herrn Petersen führen.
IRENE: Smith und Petersen können nicht kommen.
KRIEGSMINISTER: Wir haben doch abgemacht –
IRENE: Sie haben einen Wal gesichtet; wir nennen diese Tiere so. Sie sind zwar anders als die Wale auf der Erde, aber man kann sie essen. Die meisten Tiere hier können wir nicht essen. Es ist wichtig für uns, daß wir Wale jagen.
MINISTER FÜR AUSSERIRDISCHE GEBIETE *verzweifelt:* Bei allem Respekt vor diesen eßbaren Walen, die ja auch ein wenig in meine Domäne fallen, da ich der Minister für außerirdische Gebiete bin: mit wem sollen wir jetzt verhandeln?
IRENE: Mit mir.
KRIEGSMINISTER *verwundert:* Mit Ihnen?
IRENE: Ich bin die neue Bevollmächtigte. Petersen hat mir alles erzählt. Wir können in der Kantine des Spitalschiffs verhandeln, wo ich Schwester bin. Der Arzt hat es mir erlaubt. Aber nicht lange, hat er gesagt.
Donner.

MANNERHEIM: Die achte Aufnahme. Kantine des Spitalschiffs. Primitiv. Alles naß. Der Verhandlung mit der Krankenschwester geht ein Gespräch der Minister voraus.

KRIEGSMINISTER *leise:* Gehen wir zurück.
MINISTER FÜR AUSSERIRDISCHE GEBIETE: Ich habe stets meine warnende Stimme –
KRIEGSMINISTER: Ihr Plan ist gescheitert, Wood.
WOOD: Aber warum denn?
KRIEGSMINISTER: Sie wollten Smith und Petersen als Regierung anerkennen, und nun sind sie Wale fischen gegangen!
MINISTER FÜR AUSSERIRDISCHE GEBIETE: Noch nie ist

eine diplomatische Mission auch nur annähernd so beleidigt worden. Man hält uns in einer verstunkenen Kantine zum Narren.
KRIEGSMINISTER: Wenn wir nicht die Russen auf dem Buckel hätten, wäre es unsere Pflicht, diesen Kerlen den Krieg zu erklären. Wir haben schließlich unseren irdischen Stolz!
WOOD: Nun?
Schweigen.
KRIEGSMINISTER: Sir Horace Wood! Heißt das, daß Sie diese Krankenschwester zur Regierung der Venus ernennen wollen?
WOOD: Natürlich.
MINISTER FÜR AUSSERIRDISCHE GEBIETE: Das ist doch unmöglich!
WOOD: Ein Spiel geht erst dann verloren, wenn man nicht mehr mitspielt.
KRIEGSMINISTER: Wood, das ist mir zu hoch. Ich verstehe von Politik überhaupt nichts mehr!
WOOD: Nur die Politik von Eseln ist zu verstehen, lieber Kriegsminister.
Stöhnen, Schreien von irgendwo.

WOOD: Was hört man denn da für ein Stöhnen, Mannerheim?
MANNERHEIM: Ich glaube eine Geburt, Eure Exzellenz.
MINISTER FÜR AUSSERIRDISCHE GEBIETE: Darum ist die Irene verschwunden –
KRIEGSMINISTER: Wir werden zwischen Wöchnerinnen verhandeln müssen.
MINISTER FÜR AUSSERIRDISCHE GEBIETE: Diese Hitze!
KRIEGSMINISTER: Da kommt die Krankenschwester endlich zurück.
IRENE: Meine Herren. Ich habe meinen Mann mitgebracht. Er ist taubstumm. Ein Leiden, das hier oft vor-

kommt. Er wird eine Suppe essen, wir haben keinen andern Raum.

Schweigen.

WOOD: Aber gewiß doch.

IRENE: Was haben Sie uns zu sagen?

WOOD: Als Chef unserer Mission darf ich die Mitteilung machen, daß die vereinigten freien Staaten der Erde Sie als Bevollmächtigte offiziell anerkennen und damit als Staatsoberhaupt.

IRENE: Das verstehe ich nicht.

WOOD: Wir würdigen durchaus den Umstand, daß die Bevölkerung der Venus keine Regierung braucht, bedingt durch die Abgeschlossenheit des Planeten vom übrigen Sonnensystem. Doch da nun die vereinigten freien Staaten der Erde die Venus politisch anerkennen, ist eine Regierung formell notwendig: Der Bevollmächtigte der Venus ist daher automatisch mit der Regierung der Venus identisch.

IRENE: Ich bin Krankenschwester. Ich verstehe kein Wort von dem, was Sie sagen.

WOOD: Auch nicht nötig. Dies ist ein rein diplomatisch-arbeitstechnischer Vorgang, der uns erlaubt, mit der Bevölkerung der Venus Verträge abzuschließen.

IRENE *etwas ungeduldig:* Gut. Wenn Sie durchaus wollen. Ich bin das Staatsoberhaupt.

WOOD *freudig:* Ich denke mir nun einen feierlichen Staatsakt. Wir rufen möglichst viele Venusbewohner zusammen.

IRENE: Wieso denn?

MINISTER FÜR AUSSERIRDISCHE GEBIETE: Um Sie als Staatsoberhaupt einzusetzen.

IRENE: Das haben Sie doch getan.

KRIEGSMINISTER: Das muß öffentlich geschehen.

WOOD: Die Bewohner der Venus haben das Recht, zu wissen, daß sie nun endlich eine Regierung besitzen, die international anerkannt worden ist. Ich bin überzeugt, daß auch der Mars die Venus anerkennen wird.

IRENE: Das interessiert doch keinen Menschen.

MINISTER FÜR AUSSERIRDISCHE GEBIETE *empört:* Gnädige Frau!

IRENE: Ich bin die Regierung der Venus nur in bezug auf die Erde. Sie haben den Bevollmächtigten zum Staatsoberhaupt erklärt. Das ist Ihre Sache. Ich bin zufällig dieser Bevollmächtigte, weil ich diesen Nachmittag frei habe. Morgen wird es ein anderer sein, falls sich jemand noch frei machen kann. Ich sagte schon, daß die Waljagd begonnen hat.

MINISTER FÜR AUSSERIRDISCHE GEBIETE: Man kann doch unmöglich jeden Tag die Regierung wechseln!

IRENE: Sie brauchen eine Regierung bei uns, nicht wir.

KRIEGSMINISTER: Wir drehen uns im Kreise herum.

MINISTER FÜR AUSSERIRDISCHE GEBIETE: Und dabei diese Hitze! Diese schwüle, unheimliche Hitze!

IRENE: Was wollen Sie eigentlich von uns?

WOOD: Gnädige Frau –

IRENE: Sagen Sie doch nicht immer gnädige Frau zu mir. Ich bin Irene.

WOOD: Irene. Es gilt, die Freiheit zu verteidigen.

IRENE: Wieso denn?

MINISTER FÜR AUSSERIRDISCHE GEBIETE *stöhnend:* Gnädige Frau!

Ein Schrei nebenan: Nein! Nein!

IRENE: Verzeihen Sie. Nebenan muß eine Amputation vorgenommen werden, und wir haben keine Mittel zur Narkose.

KRIEGSMINISTER: O bitte.

MINISTER FÜR AUSSERIRDISCHE GEBIETE: Diese Hitze, ich halte einfach diese Hitze nicht aus.

WOOD: Die Frage, Irene, wieso denn die Freiheit verteidigt werden müsse, stellt sich gewiß noch nicht auf diesem glücklichen Planeten – was seine politische Lage betrifft –, wohl aber auf dem unsrigen, und es ist zweifellos, daß sie sich auch hier stellen wird, falls die Mächte siegen, welche die Freiheit auf der Erde bedrohen. Die vereinigten freien Staaten werden von Rußland bedroht und seinen Satelliten...

MANNERHEIM: Da die Rede seiner Exzellenz, in der er der Krankenschwester unseren Standpunkt erläuterte, stark beschädigt ist, teils durch eine fehlerhafte Aufnahme, teils auch gestört durch die Amputation, gehe ich gleich zur Wiedergabe der sich anschließenden Verhandlungen über.

MINISTER FÜR AUSSERIRDISCHE GEBIETE: Diese Hitze...

Stöhnen.

WOOD: Unser Standpunkt, unsere Wünsche und unser Angebot dürften somit der Regierung der Venus klar sein.

IRENE: Sie wünschen demnach, daß wir an einem Krieg gegen Rußland teilnehmen?

WOOD: Gewiß.

IRENE: Wir sind von Rußland nicht bedroht.

KRIEGSMINISTER: Ich habe an Sie eine Frage zu stellen, Irene.

IRENE: Fragen Sie.

KRIEGSMINISTER: Sie sind – eine Russin?

IRENE: Ich war eine Polin und bin vor sechs Jahren deportiert worden.

MINISTER FÜR AUSSERIRDISCHE GEBIETE *mit schwacher Stimme:* Ohne Zweifel, weil Sie die hehren Ideale der Freiheit, der Humanität und der Privatwirtschaft vertraten?

IRENE: Ich war eine Straßendirne.

Schweigen.

WOOD: Mein liebes Kind...

IRENE: Sie vergessen, daß Sie mit einem Staatsoberhaupt reden.

WOOD: Gnädige Frau. Ich gebe noch einmal das feierliche

Versprechen, daß die Bewohner der Venus die Erlaubnis erhalten werden, auf die Erde zurückzukehren, wenn sie auf unserer Seite am Krieg teilnehmen.
IRENE: Wir wollen nicht zurück.

Schweigen.

WOOD: Gnädige Frau. Vergessen Sie nicht, daß Sie nun im Namen aller sprechen. Ich kann es verstehen, daß Sie aus persönlichen Gründen nicht zurückkehren wollen, aber es sind Menschen hier, die man auf die Venus verbannte, weil sie für die Freiheit auf der Erde kämpften, für ein würdiges Leben: Die werden zurückkehren wollen.
IRENE: Ich kenne niemanden, der zurückkehren will.
MINISTER FÜR AUSSERIRDISCHE GEBIETE: Diese Hitze... diese Hitze...
MANNERHEIM: Der Minister für außerirdische Gebiete ist in Ohnmacht gefallen, Eure Exzellenz.
WOOD: Untersuchen Sie ihn, Mannerheim.
MANNERHEIM: Wir müssen ins Raumschiff zurück, Exzellenz. Er ist in Lebensgefahr.
KRIEGSMINISTER: Auch ich halte es nicht mehr aus, Wood. Ich bin naß vor Schweiß und Sie sind totenbleich.
WOOD *mühsam:* Gut, Costello. Wir brechen auf. Schwester Irene, wird mein Vorschlag den Bewohnern der Venus unterbreitet?
IRENE: Wenn Sie es wünschen.
WOOD *heftig:* Ich wünsche es. Sie scheinen sich über die Bedeutung unserer Mission nicht im klaren zu sein. Wir kehren auf unser Raumschiff zurück und kommen morgen wieder. Mit wem wir dann verhandeln, wissen wir nicht. Aber wir müssen die Gewißheit haben, daß unser Vorschlag der Bevölkerung der Venus unterbreitet wird.
IRENE: Wenn Sie Wert darauf legen.
MANNERHEIM: Die neunte Aufnahme. In der Kabine Seiner Exzellenz an Bord der Wega, tausendfünfhundert Kilometer außerhalb der Venus.

Schweres Atmen.

MANNERHEIM: Nur eine Kalziumspritze.

WOOD: Wie Sie wünschen.

MANNERHEIM: Ich lasse noch etwas Sauerstoff in die Kabine.

Ein leises Zischen.

WOOD: Wie geht es dem Minister?

MANNERHEIM: Schlecht.

WOOD: Dem Kriegsminister?

MANNERHEIM: Auch nicht besonders. Und der Staatssekretär für die Venus hat beim Aufstieg einen Schlag erlitten.

WOOD: Tut mir leid. Sein Zustand?

MANNERHEIM: Hoffnungslos.

WOOD: Ich selbst?

MANNERHEIM: Eiweiß.

WOOD: Habe ich oft.

MANNERHEIM: Die Blutsenkung unbefriedigend.

WOOD: Na wenn schon.

MANNERHEIM: Erhöhte Temperatur.

WOOD: Das kommt vom Ärger, Mannerheim.

MANNERHEIM: Der Kriegsminister, Eure Exzellenz.

WOOD: Setzen Sie sich auf mein Bett, Kriegsminister.

KRIEGSMINISTER: Danke. Habe es auch nötig. Zuerst haben wir mit einem Mörder und einem Kommunistensohn verhandelt, dann mit einer Straßendirne, die wir zum Staatsoberhaupt ernannten. Nimmt mich wunder, mit wem wir das nächste Mal konferieren. Wohl mit einem Straßenputzer und mit einem Lustmörder. Sollten uns andere Verhandlungspartner suchen.

WOOD: Es gibt nur einzelne Schiffe, die irgendwo in den Ozeanen herumtreiben, und die können wir nicht finden.

KRIEGSMINISTER: Durch Funk.

WOOD: Niemand antwortet.

KRIEGSMINISTER: Daß man sich nicht einmal für uns interessiert, macht mich so wütend. Die Kerle könnten doch wenigstens neugierig sein.

MANNERHEIM: Oberst Roi wünscht Exzellenz zu sprechen.

Schweigen.

WOOD: Bitte.

Schweigen.

ROI: Exzellenz.

WOOD *langsam:* Was wünschen Sie, Oberst Roi?

ROI: Das wissen Eure Exzellenz.

WOOD *zögernd:* Sie kommen, mich an unser Gespräch zu erinnern.

ROI: Gewiß, Exzellenz.

WOOD: Wie viele – Geschosse – haben wir an Bord?

ROI: Zehn.

Schweigen.

WOOD: Auf Befehl des Präsidenten der vereinigten freien Staaten?

ROI: Auf Befehl des Präsidenten.

Schweigen.

KRIEGSMINISTER: Ich weiß, es ist unangenehm. Jetzt, wo Sie ständig mit Idealen gekommen sind, Wood. Aber schicken Sie doch einfach einen Staatssekretär mit einem Ultimatum zu den Leuten –

Schweigen.

WOOD: Ich werde gehen, Kriegsminister. Allein mit Mannerheim.

MANNERHEIM: Die zehnte Aufnahme. Seine Exzellenz und ich sind vom taubstummen – Gatten – der Straßendirne in die Kantine des Spitalschiffs geleitet worden, wo uns ein hagerer, etwa sechzigjähriger Mann im Halbdunkel des nassen Raumes erwartet.

BONSTETTEN: Es fällt schwer, dich willkommen zu heißen, Wood. Du kommst in einer traurigen Mission.
WOOD: Du bist –
BONSTETTEN: Bonstetten. Du studiertest mit mir in Oxford und Heidelberg.
WOOD: Du hast dich verändert.
BONSTETTEN: Ziemlich.
WOOD: Wir haben zusammen Plato gelesen und Kant.
BONSTETTEN: Eben.
WOOD: Ich hätte mir denken sollen, daß du hinter dem allem steckst.
BONSTETTEN: Ich stecke hinter nichts.
WOOD: Du bist unser Kommissar gewesen und wirst dich der Venus bemächtigt haben.
BONSTETTEN: Unsinn. Ich bin Arzt geworden, und dies ist meine freie Stunde. Nun bin ich der Bevollmächtigte und werde mit dir reden.
WOOD: Der russische Kommissär?
BONSTETTEN: Jagt Wale. Hast du eine Zigarette?
WOOD: Mannerheim wird dir eine anbieten.
BONSTETTEN: Seit zehn Jahren habe ich keine mehr geraucht. Neugierig, wie das wieder schmeckt.
MANNERHEIM: Feuer?
BONSTETTEN: Danke.
WOOD: So weißt du Bescheid?
BONSTETTEN: Natürlich. Irene hat mir alles erzählt. Nett, daß ihr sie zum Staatsoberhaupt ernannt habt. Wir nennen sie nur noch Exzellenz.
WOOD: Die andern sind benachrichtigt?
BONSTETTEN: Wir haben nach den Schiffen gefunkt, ob jemand zurückkehren wolle.
WOOD: Die Antwort?
BONSTETTEN: Niemand.

Schweigen.

WOOD: Ich bin müde, Bonstetten. Ich muß mich setzen.

BONSTETTEN: Du wirst Eiweiß haben und erhöhte Temperatur. Das haben wir alle die erste Zeit hier.

Schweigen.

WOOD: Niemand von euch will zurück.

BONSTETTEN: Es ist nun einmal so.

WOOD: Ich kann es nicht begreifen.

BONSTETTEN: Du kommst von der Erde. Darum kannst du es nicht begreifen.

WOOD: Ihr seid doch auch von der Erde.

BONSTETTEN: Das haben wir vergessen.

WOOD: Hier kann man doch nicht leben!

BONSTETTEN: Wir können es.

WOOD: Dann muß es ein fürchterliches Leben sein.

BONSTETTEN: Ein richtiges Leben.

WOOD: Was verstehst du darunter?

BONSTETTEN: Was wäre ich auf der Erde, Wood? Ein Diplomat. Irene? Eine Dirne. Wieder andere wären Verbrecher und einige Idealisten, verfolgt von irgendeiner Staatsmaschine.

Schweigen.

WOOD: Und nun?

BONSTETTEN: Du siehst, ich bin Arzt.

WOOD: Und operierst ohne Narkose.

BONSTETTEN: Die Zigarette schmeckt nicht mehr. Sie ist naß geworden in dieser Feuchtigkeit und qualmt nur.

Schweigen.

WOOD: Ich habe Durst.

BONSTETTEN: Hier hast du abgekochtes Wasser.

WOOD: Das verteufelte Licht in den Luken, zitronengelb, der stinkige Dampf dieser Luft macht mich schwindlig.

BONSTETTEN: Es gibt keine andere Luft, nur das Licht wechselt. Zitronengelb, manchmal wie gleißendes Silber, oft auch sandig rot.

WOOD: Ich weiß.

BONSTETTEN: Alles müssen wir uns selber schaffen. Werkzeuge, Kleider, Schiffe, Funkapparate, Waffen gegen die riesenhaften Tiere. Alles fehlt. Die Erfahrung. Das Wissen. Das Gewohnte. Das Vertrauen in den Boden, der sich ständig ändert. Keine Medikamente; Pflanzen, Früchte, die wir nicht kennen, die meisten giftig. Selbst an das Wasser kann man sich nur langsam gewöhnen.

WOOD: Es schmeckt scheußlich.

BONSTETTEN: Es ist trinkbar.

Schweigen.

WOOD: Was habt ihr gegen die milde Erde eingetauscht? Dampfende Ozeane. Brennende Kontinente, rot glühende Wüsten. Ein tosender Himmel. Welche Erkenntnis habt ihr dafür bekommen?

BONSTETTEN: Der Mensch ist etwas Kostbares und sein Leben eine Gnade.

WOOD: Lächerlich. Diese Erkenntnis haben wir auf der Erde schon lange.

BONSTETTEN: Nun? Lebt ihr nach dieser Erkenntnis?

Schweigen.

WOOD: Und ihr?

BONSTETTEN: Die Venus zwingt uns, nach unseren Erkenntnissen zu leben. Das ist der Unterschied. Wenn wir hier einander nicht helfen, gehen wir zu Grunde.

WOOD: Darum bist du auch nicht mehr zurückgekehrt.

BONSTETTEN: Darum.

WOOD: Und hast die Erde verraten.

BONSTETTEN: Ich desertierte.

WOOD: In eine Hölle, die ein Paradies ist.

BONSTETTEN: Wir müßten töten, wenn wir zurück wollten, denn helfen und töten ist bei euch dasselbe. Wir können nicht mehr töten.

Schweigen.

WOOD: Wir müssen vernünftig sein. Auch ihr seid in Gefahr. Wenn die Russen uns besiegen, werden sie hierher kommen.

BONSTETTEN: Wir fürchten uns nicht.
WOOD: Ihr schätzt die politische Lage falsch ein.
BONSTETTEN: Du vergißt, daß wir die Strafkolonie der ganzen Erde sind. Die Menschheit schickt sich an, um den Besitz der schönen Zimmer und der einträglichen Grundstücke zu kämpfen, nicht um die Abfallgrube, die allen gemeinsam ist. Für uns interessiert sich niemand. Ihr braucht uns jetzt nur, um uns wie Hunde vor den Wagen eures Krieges zu spannen. Ist der Krieg zu Ende, fällt auch dieser Grund dahin. Doch ihr könnt uns zwar hierher schicken, aber nicht zur Rückkehr zwingen. Ihr habt keine Macht über uns. Ihr habt uns aus der Menschheit entlassen. Die Venus ist nun fürchterlicher als ihr. Wer auch immer ihren Boden betritt, fällt unter ihr Gesetz, in welcher Eigenschaft er auch komme, und es wird ihm keine andere Freiheit gewährt als die ihre.
WOOD: Die Freiheit zu krepieren.
BONSTETTEN: Die Freiheit, recht zu handeln und das Notwendige zu tun. Auf der Erde konnten wir es nicht. Auch ich nicht. Die Erde ist zu schön. Zu reich. Ihre Möglichkeiten sind zu groß. Sie verführt zur Ungleichheit. Auf ihr ist Armut eine Schande, und so ist sie geschändet. Nur hier ist die Armut etwas Natürliches. An unserer Nahrung, an unseren Werkzeugen klebt nur unser Schweiß, nicht noch Ungerechtigkeit wie auf der Erde. Und so haben wir Furcht vor ihr. Furcht vor ihrem Überfluß, Furcht vor dem falschen Leben, Furcht vor einem Paradies, das eine Hölle ist.

Schweigen.

WOOD: Ich muß dir die Wahrheit sagen, Bonstetten. Wir haben Bomben bei uns.
BONSTETTEN: Atombomben?
WOOD: Wasserstoffbomben.
BONSTETTEN: Mit einem Kobaltmantel darum?
WOOD: Mit einem Kobaltmantel.

BONSTETTEN: Ich dachte es.
WOOD: Ich war ahnungslos. Es geschah auf Befehl des Präsidenten. Ich war überrascht, als ich es gestern vernahm, Bonstetten.
BONSTETTEN: Ich glaube dir ja.
WOOD: Es ist mir natürlich peinlich. Aber wir sind in einer verzweifelten Lage. An unserem guten Willen kann nicht gezweifelt werden. Die Freiheit und die Humanität werden sich schließlich durchsetzen.
BONSTETTEN: Natürlich.
WOOD: Wir sind einfach momentan gezwungen, scharfe Maßnahmen zu ergreifen.
BONSTETTEN: Selbstverständlich.
WOOD: Es tut mir wirklich leid, Bonstetten.

Schweigen.

BONSTETTEN: Ihr setzt die Bomben ein, wenn wir euch nicht helfen?
WOOD: Wir müssen.
BONSTETTEN: Wir können euch nicht hindern.

Schweigen.

WOOD: Ihr seid verloren.
BONSTETTEN: Viele. Andere werden entkommen. Die Schiffe waren gewarnt, als ihr kamt. Sonst lebten wir nahe beieinander, doch nun sind wir über den ganzen Planeten verstreut.
WOOD: Ihr habt alles vorausgeahnt?
BONSTETTEN: Wir waren schließlich auch einmal auf der Erde.

Schweigen.

WOOD: Ich muß nun gehen.
BONSTETTEN: Du wirst dich erholen müssen, wenn du zurückkehrst. Geh in die Schweiz. Ins Engadin. Ich war einmal dort im letzten Sommer vor fünfzehn Jahren. Ich vergesse nie die Bläue dieses Himmels.
WOOD: Ich fürchte – die politische Lage –

BONSTETTEN: Natürlich. Eure politische Lage. Daran habe ich gar nicht gedacht.
WOOD: Du hast noch Familie auf der Erde. Deine Frau, zwei Söhne – hast du ihnen eine Nachricht zu geben?
BONSTETTEN: Nein.
WOOD: Leb wohl.
BONSTETTEN: Stirb wohl, willst du sagen. Mein Spitalschiff wird deinen Bomben nicht entgehen.
WOOD: Bonstetten!
BONSTETTEN: Der Mann Irenes bringt dich an Land.
WOOD: Wir setzen die Bomben natürlich nicht ein, Bonstetten. Ich habe nur damit gedroht. Da wir euch nicht zwingen können, wäre dies nur eine sinnlose Grausamkeit. Ich gebe dir mein Wort.
BONSTETTEN: Ich nehme es dir nicht ab.
WOOD: Ich bin kein Schlächter.
BONSTETTEN: Aber ein Mensch von der Erde. Du kannst die Tat nicht zurücknehmen, die du denken konntest.
WOOD: Ich verspreche dir...
BONSTETTEN: Du wirst dein Versprechen brechen. Deine Mission ist gescheitert. Noch hast du Mitleid mit mir. Doch wenn du auf dein Schiff zurückkehrst, wird dein Mitleid verblassen und dein Mißtrauen erwachen. Die Russen könnten kommen und mit uns ein Abkommen schließen, wirst du denken. Du wirst zwar wissen, daß dies unmöglich ist, daß wir die Russen behandeln würden, wie wir euch behandelt haben, aber an deinem Wissen wird ein Stäubchen Furcht kleben, daß wir uns doch vielleicht mit euren Feinden verbünden könnten, und um dieses Stäubchens Furcht willen, um dieser leichten Unsicherheit willen in deinem Herzen wirst du die Bomben abwerfen lassen. Auch wenn sie sinnlos sind, auch wenn du Unschuldige triffst, und so werden wir sterben.
WOOD: Du bist mein Freund, Bonstetten. Ich kann doch einen Freund nicht töten!

BONSTETTEN: Man tötet leicht, wenn man sein Opfer nicht sieht, und du wirst mich nicht sterben sehen.
WOOD: Das sagst du, als wäre es etwas Leichtes, zu sterben!
BONSTETTEN: Alles Notwendige ist leicht. Man muß es nur annehmen. Und das Notwendigste, das Natürlichste auf diesem Planeten ist der Tod. Er ist überall und zu jeder Zeit. Zu große Hitze. Zuviel Strahlung. Selbst das Meer radioaktiv. Überall Würmer, die unter unsere Haut, in unsere Eingeweide dringen, Bakterien, die unser Blut vergiften, Viren, die unsere Zellen zerstören. Die Kontinente voll unpassierbarer Sümpfe, überall kochende Ölmeere und Vulkane, stinkende Riesentiere. Wir fürchten eure Bomben nicht, weil wir mitten im Tode leben und lernen mußten, ihn nicht mehr zu fürchten.

Schweigen.

WOOD: Ihr seid unangreifbar in der Festung eurer Armut und eurer Todesnähe.
BONSTETTEN: Geh jetzt.
WOOD: Bonstetten. Ich bewundere dich. Du hast recht und ich unrecht. Ich gebe es zu.
BONSTETTEN: Das ist lieb von dir.
WOOD: Was du über eure Armut und über euer gefährdetes Leben gesagt hast, berührt mich tief.
BONSTETTEN: Das ist schön von dir.
WOOD: Wenn ich jetzt nicht Außenminister der freien vereinigten Staaten der Erde wäre, würde ich bei dir bleiben.
BONSTETTEN: Das ist edel von dir.
WOOD: Aber ich kann natürlich die Erde nicht einfach im Stich lassen.
BONSTETTEN: Das ist ja klar.
WOOD: Es ist tragisch, daß ich in dieser Hinsicht nicht frei bin.
BONSTETTEN: Du mußt nicht traurig sein.

WOOD: Die Bomben werden nicht abgeworfen.
BONSTETTEN: Wir wollen jetzt nicht mehr darüber sprechen.
WOOD: Mein Wort.
BONSTETTEN: Leb wohl.

MANNERHEIM: Die elfte Aufnahme. Das Raumschiff Wega fliegt zur Erde zurück.

ROI: Eure Exzellenz?
WOOD: Die Verhandlungen sind ergebnislos verlaufen, Oberst Roi.
ROI: Dann lasse ich die Bomben abwerfen, Exzellenz?
Schweigen.
ROI: Exzellenz müssen sich nun entscheiden.
Schweigen.
ROI: Der Präsident hat befohlen.
Schweigen.
WOOD: Wenn der Präsident befohlen hat, Oberst Roi, lassen Sie die Bomben eben abwerfen. Möglichst gleichmäßig über die Venus verteilt.
ROI: Bereit zum Start.
EINE STIMME: Bereit zum Start.
WOOD: Führen Sie mich in meine Kabine, Mannerheim.
Schritte.
MANNERHEIM: Ich schnalle Sie an, Exzellenz.
WOOD: Bitte.
MANNERHEIM: Geht es so, Exzellenz?
WOOD: Gefesselt.
MANNERHEIM: Das rote Licht, Exzellenz. In zwanzig Sekunden starten wir.
Schweigen.
MANNERHEIM: Noch zehn Sekunden.
WOOD: Gescheitert.

LEICHTE SCHLAGERMUSIK. EIN FAHRENDES AUTOMOBIL.

TRAPS: Dieser Wildholz! Der soll was erleben. Junge, Junge! Rücksichtslos gehe ich nun vor, rücksichtslos. Dem drehe ich mal den Hals um. Wird sich wundern. Unnachsichtlich! Kein Pardon, keine Gnade. Nee. Mir nicht. Meint wohl, ich sei bei der Heilsarmee. Fünf Prozent will er mir abkippen. Fünf Prozent! Ich rieche den Braten. Zum Glück, daß es mit Stürler klappte. Das ist ein Gewinnchen, den habe ich schön hereingelegt. – Nanu, was ist denn auf einmal mit dem Wagen los?

Wagengeräusche.

TRAPS: Steht. Nichts zu machen. Wenigstens eine Garage in der Nähe. He, Sie da!

GARAGIST: Was ist denn mit Ihrem Studebaker los?

TRAPS: Weiß der Teufel. Wollte eben diese kleine Steigung nehmen, da rührt er sich nicht mehr von der Stelle.

GARAGIST: Lassen Sie mich mal sehen.

Hantierungen.

GARAGIST: Aha. – Sehen Sie?

TRAPS: Tatsächlich! Scheint eine größere Reparatur zu geben.

GARAGIST: Meine ich auch.

TRAPS: Bis wann bringen Sie den Wagen in Ordnung?

GARAGIST: Morgen um sieben können Sie ihn holen.

TRAPS: Morgen erst?

GARAGIST: Es ist schließlich sechse abends.

TRAPS: Weit bis zum Bahnhof?

GARAGIST: Eine halbe Stunde.

TRAPS: Kann man im Dorf übernachten?

GARAGIST: Fragen Sie im «Bären» nach.

TRAPS: Na gut. Nimmt mich nur wunder, was der Motor wohl hat. Was verstehe ich schon davon. Garagisten ist man ausgeliefert wie einst den Raubrittern. Der «Bären». Der Dicke da ist wohl der Wirt?

Harmonikaklänge. Festlärm.

TRAPS: Zimmer frei?
WIRT: Tut mir leid. Alles besetzt. Der Kleinviehzüchterverband tagt.
TRAPS: Noch andere Gasthöfe im Dorf?
WIRT: Auch von den Kleinviehzüchtern besetzt. Doch gehen Sie mal zu Herrn Werge in der weißen Villa, die Dorfstraße geradeaus und dann links, der nimmt Gäste.

Die Handharmonikaklänge verwehen langsam.

TRAPS: Hätte doch den Zug nehmen sollen. Aber der fährt erst in einer Stunde, und dann müßte ich zweimal umsteigen. Zu faul dazu. Und den Wagen müßte ich morgen trotzdem holen. Das Dorf scheint angenehm zu sein. Kirche, Dorfeiche, Einfamilienhäuschen, wohl von Rentnern und pensionierten Beamten aus der Stadt, Bauernhäuser, solide, proper, sogar die Misthaufen sorgfältig geschichtet. Die Müh', die sich die Leute geben.

Muhen. Glockengebimmel.

TRAPS: Kühe. Das auch noch. Eben auf dem Lande. Schöner Sommerabend, die Sonne noch hoch am Himmel, morgen der längste Tag. Vielleicht gibt es was zu erleben, manchmal ganz nette Mädchen anzutreffen in so einem Nest, eine Luise, eine Kathrine, wie neulich in Großbiestringen, war eine tolle Nacht, Evchen hieß sie. Die Villa, von Buchen und Tannen umgeben, ein größerer Garten davor, na schön, gegen die Straße hin Obstbäume, Gemüsebeete, überall Blumen. Komisch, daß die hier Gäste nehmen, scheint eine Art Pension zu sein. Leute, die Moneten bitter nötig haben.

Das Knarren einer Gartentüre.

TRAPS: Niemand zu sehen. Kieswege. Hallo!
RICHTER: Was wünschen Sie?
TRAPS: Herr Werge?
RICHTER: Bin ich.
TRAPS: Mein Name ist Traps, Alfredo Traps!
RICHTER: Erfreut.

TRAPS: Es wurde mir gesagt, man könne bei Ihnen übernachten. Habe eine Panne.
RICHTER: Kann man.
TRAPS: Wieviel verlangen Sie denn?
RICHTER: Nichts.
TRAPS: Nichts? Na, hören Sie mal. Sie scheinen wohl der Weihnachtsmann höchstpersönlich zu sein?
RICHTER: Treten Sie näher. Kommen Sie in die Veranda.

Stimmen.

STAATSANWALT: Da ist ja einer. Höchste Zeit!
VERTEIDIGER: So ein Dusel! Scheint ein Fabrikant zu sein.
STAATSANWALT: Unsinn, ein Geschäftsreisender.
PILET: Fein.
TRAPS: O, ich störe wohl.
RICHTER: Sie stören gar nicht. Ich bin allein, mein Sohn befindet sich in den Vereinigten Staaten, da bin ich froh, hin und wieder einen Gast zu beherbergen.
TRAPS: Aber Sie haben ja schon Gäste.
RICHTER: Freunde. Pensioniert, wie ich selber. Hergezogen ins Dorf des milden Klimas wegen. Halten einen kleinen Herrenabend ab, mit Abendessen. Ich lade Sie ein, mitzumachen.
TRAPS: Mitmachen? So eine Gastfreundschaft gibt es doch überhaupt nicht mehr. Ist ja wie im Märchen.
RICHTER: Darf ich vorstellen: ein pensionierter Staatsanwalt –
STAATSANWALT: Mein Name ist Zorn.
TRAPS: Sehr erfreut.
RICHTER: Ein pensionierter Rechtsanwalt –
VERTEIDIGER: Gestatten: Kummer.
TRAPS: Habe das Vergnügen.
RICHTER: Herr Pilet.
TRAPS: Angenehm.
PILET: Fein.
RICHTER: Das ist Herr Traps, Simone. Er übernachtet hier.

SIMONE: In welchem Zimmer denn, Herr Werge?
RICHTER: Aber Simone, das müssen wir doch erst herausbringen.
SIMONE: Verstehe.
RICHTER: Unsere Gäste, Herr Traps, kommen nämlich je nach ihren Eigenschaften in das hierzu bestimmte Zimmer.
TRAPS: Originelle Idee.
RICHTER: Wünschen Sie etwas Vermouth?
TRAPS: Gerne.
RICHTER: Mit einem Schuß Gin?
TRAPS: Ich weiß gar nicht, womit ich dies alles verdient habe.
RICHTER: Sie erweisen uns nämlich durch Ihren Besuch einen Dienst.
TRAPS: Einen Dienst?
RICHTER: Sie können mitspielen.
TRAPS: Gerne. Was ist es denn für ein Spiel?
Verlegenes Lachen.
VERTEIDIGER: Ein etwas sonderbares Spiel.
TRAPS: Verstehe – die Herren spielen um Geld – da bin ich mit Vergnügen dabei.
STAATSANWALT: Nein – das ist nicht unser Spiel.
TRAPS: Nicht?
Verlegenes Lachen.
RICHTER: Es besteht darin, daß wir des Abends unsere alten Berufe spielen.
TRAPS: Ihre alten Berufe.
STAATSANWALT: Wir spielen Gericht.
TRAPS *lacht:* Direkt unheimlich.
RICHTER: Im allgemeinen nehmen wir die berühmten historischen Prozesse durch, den Prozeß Sokrates, den Prozeß Jesus, den Prozeß Jeanne d'Arc, den Prozeß Dreyfuß, auch den Brand des Reichstagsgebäudes neulich, oder laden verschiedene geschichtliche Persönlichkeiten vor.

DIE ANDERN: Oho!
RICHTER: Durch eigene Forschung!
PILET: Fein.
SIMONE: Kalbsnierenbraten, Artischocken und ein wohltemperierter St-Julien-Médoc 1927.
TRAPS: Ein Festessen.
STAATSANWALT: Will ich meinen. Unser Gastgeber kauft selber ein, der alte Gnom und Gourmet. Doch wie steht es nun mit Ihnen? Untersuchen, durchleuchten, durchforschen wir den Fall weiter. Wie kamen Sie beruflich zu einem so lukrativen Posten?
VERTEIDIGER *leise:* Aufpassen. Jetzt wird's gefährlich.
TRAPS: Das ist nicht leicht gewesen. Habe zuerst Gygax besiegen müssen, und das war eine harte Arbeit.
STAATSANWALT: Ei, und Herr Gygax, wer ist denn dies wieder?
TRAPS: Mein früherer Chef. Donnerwetter, der Bordeaux scheint großartig zu sein, nach dem Bouquet zu schließen.
STAATSANWALT: Nun, Verehrtester, Herr Gygax befindet sich wohl?
TRAPS: Der ist letztes Jahr gestorben.
VERTEIDIGER *leise:* Sie sind wohl verrückt geworden?
STAATSANWALT: Gestorben! Da hätten wir unseren Toten aufgestöbert, und das ist schließlich die Hauptsache. Meine Herren, auf diesen Fund hin wollen wir den St-Julien-Médoc goutieren.

Gläserklirren.

STAATSANWALT: Nun also zu unserem Toten, der sich am Horizonte zeigt. Vielleicht läßt sich gar ein Mordchen aufweisen, das unser lieber Traps begangen haben könnte zu seiner und unserer Freude.
TRAPS *lachend:* Muß bedauern, meine Herren, muß bedauern.

Gelächter.

STAATSANWALT: Geben wir's nicht auf. Rekapitulieren wir. Herr Gygax ist vor einem Jahr gestorben?
TRAPS: Vor acht Monaten.
STAATSANWALT: Nachdem Sie seinen Posten erhalten haben?
TRAPS: Kurz vorher.
STAATSANWALT: Ei, und woran ist er denn gestorben?
TRAPS: Eine Herzgeschichte.
STAATSANWALT: Schön, mehr brauche ich einstweilen nicht zu wissen.
VERTEIDIGER *leise:* Unvorsichtig, Traps, unvorsichtig. Glauben Sie mir, ich habe meine Erfahrung: gerade aus Herzgeschichten dreht einem der Staatsanwalt oft einen Strick.
STAATSANWALT: Wie alt ist der Verewigte geworden, lieber Herr Traps?
TRAPS: Zweiundfünfzig. Darf ich noch um etwas Sauce bitten?
RICHTER: Blutjung.
VERTEIDIGER *leise:* Und das alles gestehen Sie mit der größten Seelenruhe?
TRAPS *lachend:* Keine Bange, mein lieber Herr Verteidiger, wenn erst einmal das Verhör beginnt, werde ich auf der Hut sein.

Stille.

VERTEIDIGER: Unglücksmensch, was meinen Sie damit: wenn einmal erst das Verhör beginnt?
TRAPS: Nun? Hat es etwa schon begonnen?

Gelächter.

RICHTER: Er hat es nicht bemerkt, er hat es nicht bemerkt.
PILET: Fein.
TRAPS *stutzend:* Meine Herren, verzeihen Sie, ich dachte mir das Spiel feierlicher, würdiger, förmlicher, mehr Gerichtssaal.

RICHTER: Liebster Herr Traps, Ihr bestürztes Gesicht eben war nicht zu bezahlen. Unsere Art Gericht zu halten kommt Ihnen fremd und allzu munter vor. Sehen Sie doch, Wertgeschätzter, wir vier an diesem Tisch sind pensioniert und haben uns vom unnötigen Wust der Formeln, Protokolle, Schreibereien, Gesetze befreit und was für Kram sonst noch unsere Gerichtssäle belastet. Wir richten ohne Rücksicht auf die lumpigen Gesetzbücher und Paragraphen.
TRAPS: Ohne Paragraphen! Großartige Idee!
VERTEIDIGER: Meine Herren, ich gehe Luft schnappen, bevor es zum Hähnchen und zum übrigen kommt, ein kleines Gesundheitsspaziergänglein und ein Zigarette tun gut. Ich lade Herrn Traps ein, mich zu begleiten.
TRAPS: Aber gerne, Herr Verteidiger.
VERTEIDIGER: Treten wir durch die Veranda in die Nacht hinaus, die nun endlich hereingebrochen ist, warm und majestätisch. Meine dichterische Ader, mein Freund. Geben Sie mir den Arm.
TRAPS: Bitte sehr.
VERTEIDIGER: Eine Zigarette.
TRAPS: Mein Gott, war dies ein Jux da drin.
VERTEIDIGER: Lieber Freund, bevor wir zurückkehren und das Hähnchen in Angriff nehmen, lassen Sie mich ein ernstes Wort an Sie richten, das Sie beherzigen sollten. Sie sind mir sympathisch, junger Mann, ich fühle zärtlich für Sie, ich will wie ein Vater zu Ihnen reden: wir sind im schönsten Zuge, unsern Prozeß mit Bausch und Bogen zu verlieren.
TRAPS: Pech. Aber seien Sie vorsichtig. Hier wittere ich einen Teich, eine Steinbank, setzen wir uns.
VERTEIDIGER: Sterne spiegeln sich im Wasser, Kühle steigt auf. Die hat man nötig in dieser Sommernacht. Vom Dorfe her Handharmonikaklänge und Gesang, auch ein Alphorn beginnt feierlich zu blasen.

TRAPS: Der Kleinviehzüchterverband feiert. Habe ich gelacht. Ein gar zu komisches Gesellschaftsspiel eben. In der nächsten Sitzung der Schlaraffia muß dies unbedingt auch eingeführt werden.
VERTEIDIGER: Nicht wahr? Man lebt auf. Hingesiecht bin ich, lieber Freund, als ich meinen Rücktritt genommen hatte und plötzlich ohne Beschäftigung in diesem Dörfchen das Alter genießen sollte. Was ist denn hier los? Nichts, nur der Föhn nicht zu spüren, das ist auch alles. Gesundes Klima. Lächerlich ohne geistige Beschäftigung. Der Staatsanwalt lag im Sterben, bei unserem Gastgeber vermutete man Magenkrebs, das war das Resultat. Da kamen wir auf den Einfall, das Spiel einzuführen, und hei! – es wurde unser Gesundbrunnen, die Hormone kamen wieder in Ordnung, die Langeweile verschwand, Energie, Jugendlichkeit, Elastizität, Appetit stellten sich ein. Wir spielen das Spiel jede Woche, mit den Gästen des Richters, die unsere Angeklagten abgeben, bald mit Hausierern, bald mit Ferienreisenden, und vorgestern durften wir gar einen Parlamentarier zu zwanzig Jahren Zuchthaus verurteilen, nur durch meine Kunst kam er nicht an den Galgen.
TRAPS *lachend:* Galgen! Sie machen aber Witze.
VERTEIDIGER: Wieso denn?
TRAPS: Die Todesstrafe ist ja abgeschafft!
VERTEIDIGER: In der staatlichen Justiz, doch wir haben es hier mit einer privaten Justiz zu tun und führten sie wieder ein: gerade die Möglichkeit der Todesstrafe macht unser Spiel so spannend.
TRAPS: Da sollten Sie eigentlich auch einen Henker haben.
VERTEIDIGER: Haben wir, haben wir: Herrn Pilet.
TRAPS *erschrocken:* Pilet? Der immer «fein» sagt?
VERTEIDIGER: Er war einer der vortrefflichsten, tüchtigsten im Nachbarlande, nun auch pensioniert, aber er ist

das ist reine Glückssache, da kann mir keiner was vorwerfen.

STAATSANWALT: Werden sehen, werden sehen!

RICHTER: Meine Herren. Zur Feier des Abends entkorken wir eine Flasche Château Margot 1914. Der Zapfen ist noch ganz. Beriechen, bewundern wir ihn, übergeben wir ihn feierlich Herrn Traps zum Andenken an die wunderschönen Stunden, die wir in seiner Gegenwart verleben. Kosten wir den Wein!

TRAPS: Wundervoll.

PILET: Fein.

RICHTER: Meine Herren, das Verhör unseres lieben Angeklagten wäre abgeschlossen. Ich fordere den Staatsanwalt auf, sein Anklageredchen zu halten.

VERTEIDIGER: Nun gut, Herr Traps, hören wir uns diese Anklagerede an. Sie werden staunen, was Sie sich mit Ihren unvorsichtigen Antworten alles angerichtet haben. Verlieren Sie nur nicht den Kopf dabei, ich werde Ihnen schon aus der Patsche helfen. Kopf hoch! Konzentration ist vonnöten, innere Sammlung. Es ist still draußen, nur vom Dorfe her noch einige ferne Handorgelklänge, Männergesang «Am Brunnen vor dem Tore», das soll uns nicht stören.

In der Ferne Männergesang.

STAATSANWALT: Das Vergnügliche unseres Herrenabends, das Gelungene ist wohl, liebe Freunde, daß wir einem Mord auf die Spur gekommen sind, so raffiniert angelegt, daß er unserer staatlichen Justiz natürlicherweise mit Glanz entgangen ist.

TRAPS: Einem Mord? Na, hören Sie mal!

Er bricht in ein Gelächter aus.

TRAPS: Ein wunderbarer Witz! Jetzt begreife ich die Geschichte! Man will mir einreden, ich hätte einen Mord begangen! Nee, meine Herren, damit haben Sie bei mir keinen Erfolg.

STAATSANWALT: Dies gilt es nun zu beweisen, um so mehr, als sich der Angeklagte noch für unschuldig hält. Eins darf jedoch gesagt werden: es ist ein freudiges Ereignis, die Entdeckung eines Mordes, das unsere Herzen hochschlagen läßt, uns vor neue Aufgaben, Entscheidungen, Pflichten stellt, und so darf ich denn vor allem unserem lieben und verehrten Täter gratulieren, ist es doch ohne Täter nicht gut möglich, einen Mord zu entdecken, Gerechtigkeit walten zu lassen. Auf ein besonderes Wohl denn dem bescheidenen Alfredo Traps, den ein wohlmeinendes Geschick in unsere Mitte brachte.

Jubel. Gläserklirren.

ALLE: Alfredo Traps lebe hoch!

TRAPS: Meine Herren, die Liebe, mit der Sie mich feiern, rührt mich. Ich schäme mich meiner Tränen nicht, es ist mein schönster Abend.

STAATSANWALT: Auch ich habe Tränen in den Augen.

TRAPS: Staatsanwalt, lieber, lieber Freund!

STAATSANWALT: Angeklagter, lieber, lieber Traps.

TRAPS: Sagen wir «Du» zueinander.

STAATSANWALT: Heiße Kurt. Auf dein Wohl, Alfredo!

TRAPS: Auf dein Wohl, Kurt!

STAATSANWALT: Ich denke mit Grauen an die Zeit zurück, da wir im Dienste des Staates ein trübes Handwerk verrichten mußten. Wie hat sich doch alles geändert. Hetzten wir einst von Fall zu Fall, referieren wir jetzt mit Muße, Gemütlichkeit, Fröhlichkeit, lernen den Angeklagten lieben, seine Sympathie schlägt uns entgegen, Verbrüderung hüben und drüben. Und das ist gut so, denn die Gerechtigkeit, liebe Freunde, ist etwas Heiteres, Beschwingtes und nicht etwas Fürchterliches, Schreckenverbreitendes, wie es die öffentliche Justiz geworden ist.

TRAPS: Es lebe die Gerechtigkeit!

DIE ANDERN: Es lebe die Gerechtigkeit!

STAATSANWALT: Laßt mich denn nach diesem Trinkspruch die Tat würdigen. Ich glaube, das rechte Wort getroffen zu haben, will doch meine Anklagerede nicht eine Schreckensrede sein, die unseren Freund genieren könnte, sondern eine Würdigung, die ihm sein Verbrechen aufweist, aufblühen läßt, zu Bewußtsein bringt: nur auf dem reinen Sockel der Erkenntnis ist es möglich, das fugenlose Monument der Gerechtigkeit zu errichten.

TRAPS: Wie im Märchen, einfach wie im Märchen!

STAATSANWALT: Was ist nun geschehen? Wie entdeckte ich, daß unserem lieben Freund ein Mord nachzurühmen ist, und nicht nur ein gewöhnlicher Mord, nein, ein virtuoser Mord, der ohne Blutvergießen, ohne Mittel wie Gift, Pistolen und dergleichen durchgeführt worden ist?

TRAPS: Das nimmt mich aber wunder.

STAATSANWALT: Als Fachmann muß ich durchaus von der These ausgehen, daß ein Verbrechen hinter jedem Vorhang, hinter jeder Person lauern kann.

TRAPS: Oho!

STAATSANWALT: Die erste Ahnung ist dem Umstand zu verdanken gewesen, daß unser Generalvertreter noch vor einem Jahr einen alten Citroën fuhr und jetzt mit einem Studebaker herumstolziert.

TRAPS: Da müßte es aber im Lande nur so von Mördern wimmeln!

STAATSANWALT: Nun weiß ich allerdings, daß wir in einer Zeit der Hochkonjunktur leben, und so war die Ahnung noch vage, mehr einem Gefühl vergleichbar, vor einem freudigen Ereignis zu stehen, eben vor der Entdekkung eines Mordes. Daß unser lieber Freund den Posten seines Chefs übernommen, daß er den Chef verdrängen mußte, daß der Chef gestorben ist, all diese Tatsachen waren noch keine Beweise, sondern erst Momente, die jenes Gefühl bestärkten, fundierten. Verdacht, logisch unterbaut, kam erst hoch, als zu erfahren war, woran dieser sagenhafte Chef starb: an einem Herzinfarkt. Hier galt es ein-

zusetzen, zu kombinieren, Scharfsinn, Spürsinn aufzubieten, diskret vorzugehen, sich an die Wahrheit heranzupirschen, das Gewöhnliche als das Außergewöhnliche zu erkennen, Bestimmtes im Unbestimmten zu sehen, Umrisse im Nebel, an einen Mord zu glauben, gerade weil es absurd schien, einen Mord anzunehmen.
TRAPS: Ist auch absurd.
STAATSANWALT: Überblicken wir das vorhandene Material. Entwerfen wir ein Bild des Verstorbenen. Wir wissen wenig von ihm, was wir wissen, entnehmen wir den Worten unseres sympathischen Gastes. Herr Gygax war der Generalvertreter des Hephaiston Kunststoffes, dem wir alle die angenehmen Eigenschaften, die ihm unser liebster Alfredo nachsagt, gerne zutrauen. Er war ein Mensch, dürfen wir folgern, der aufs Ganze ging, seine Untergebenen rücksichtslos ausnutzte, der Geschäfte zu machen verstand, wenn auch die Mittel, mit denen er die Geschäfte machte, oft mehr als bedenklich waren.
TRAPS: Das stimmt, der Gauner ist vollendet getroffen.
STAATSANWALT: Weiter dürfen wir schließen, daß Herr Gygax gegen außen gern den Robusten, den Kraftmeier, den erfolgreichen Geschäftsmann spielte, jeder Situation gewachsen und mit allen Wassern gewaschen, weshalb er denn auch die schwere Herzkrankheit aufs sorgsamste geheimhielt, auch hier zitieren wir Alfredo, nahm Gygax doch dieses Leiden in einer Art trotziger Wut hin, wie wir uns denken können, als einen persönlichen Prestigeverlust sozusagen.
TRAPS: Wunderbar, geradezu Hexerei!
VERTEIDIGER *leise:* Schweigen Sie doch!
STAATSANWALT: Dazu kommt, daß der Verstorbene seine Frau vernachlässigte, die wir uns als ein leckeres und gutgebautes Frauenzimmer denken können – wenigstens hat sich unser Freund so ungefähr ausgedrückt –
TRAPS: Ein tolles Weib!

STAATSANWALT: Für Gygax zählte nur der Erfolg, das Geschäft, und wir dürfen mit einer gewissen Wahrscheinlichkeit vermuten, daß er von der Treue seiner Frau überzeugt und der Meinung war, eine so außergewöhnliche Erscheinung zu sein und ein so exzeptionelles Mannsbild, daß seiner Gattin nie auch nur der leiseste Gedanke an einen Ehebruch gekommen sei, weshalb es denn für ihn ein harter Schlag gewesen sein müßte, hätte er von der Untreue seiner Frau mit unserem bewunderten Casanova von der Schlaraffia erfahren.
TRAPS: War es auch!
STAATSANWALT *überrascht:* War es auch?
VERTEIDIGER *leise:* Reden Sie doch nicht immer einfach drauflos, um Gottes willen. Jetzt haben Sie etwas ganz Gefährliches ausgesagt.
STAATSANWALT: Ei, wie erfuhr er denn davon, der alte Sünder? Gestand ihm sein leckeres Frauchen?
TRAPS: Dazu fürchtete sie sich vor dem Gangster zu gewaltig.
STAATSANWALT: Kam Gygax selber dahinter?
TRAPS: Dazu war er zu eingebildet.
STAATSANWALT: Gestandest etwa du, mein lieber Freund und Don Juan?
TRAPS: Diese Frage zu beantworten, Kurt, ist peinlich.
VERTEIDIGER: Ich mache Herrn Traps darauf aufmerksam, daß diese Frage nicht beantwortet werden muß.
RICHTER: Natürlich braucht dies Traps nicht.
STAATSANWALT: Zugegeben.

TRAPS: Hohes Gericht. Der Scharfsinn des Herrn Staatsanwalts verdient Entgegenkommen. Nur der spielt richtig, der ein Spiel ernst nimmt, das gilt auch für unser Spiel. Ich fürchte mich vor der Wahrheit nicht. Ich gebe zu, daß einer meiner Freunde Gygax orientierte, und daß ich meinen Freund dazu überredete. Ich liebe keine Heimlichkeit, hier nicht und damals nicht, als ich jenes Verhältnis mit der Käthi hatte.

Zuerst Stille. Dann homerisches Gelächter.

STAATSANWALT: Ein Geständnis, ein wunderschönes Geständnis.

PILET: Fein.

VERTEIDIGER: Zu dumm, einfach zu dumm.

TRAPS: Aber was haben Sie denn, meine Herren? Sie tanzen ja wie wild im Zimmer herum!

STAATSANWALT: Meine Herren, gestatten Sie mir, daß ich vor Vergnügen auf den Stuhl klettere, um erhöht meine Rede fortzusetzen. Der Fall ist deutlich, die letzte Gewißheit gegeben. Betrachten wir den verehrten Mörder. Diesem Gangster von einem Chef war Alfredo also ausgeliefert. Noch im Kriege war er Hausierer gewesen, nicht einmal das, ohne Patent, ein Vagabund mit illegitimer Textilware stellen wir uns vor, ein kleiner Schwarzhändler, und nun hatte er sich verbessert, in ein Geschäft eingenistet, doch wer ruht auf dem Aste aus, der endlich erklettert ist, wenn über ihm, dem Gipfel zu, poetisch gesagt, sich weitere Äste mit noch besseren Früchten zeigen? Zwar verdiente er gut, flitzte von Textilgeschäft zu Textilgeschäft, der Citroën war nicht schlecht, doch unser lieber Alfredo sah links und rechts neue Modelle auftauchen, vorbeiflitzen, ihm entgegenrasen und ihn überholen. Der Wohlstand stieg im Land, wer wollte da nicht mittun?

TRAPS: Genau so war es, genau so. Das geb ich zu.

STAATSANWALT: Das war leichter beschlossen als getan. Sein Chef ließ ihn nicht hochkommen, bösartig, zäh nützte er ihn aus, gab ihm Vorschüsse auf neue Bindungen, wußte ihn immer unbarmherziger zu fesseln.

TRAPS: Richtig, Sie ahnen nicht, meine Herren, wie ich vom alten Gangster in die Zange genommen wurde.

STAATSANWALT: Da mußte aufs Ganze gegangen werden.

TRAPS: Und wie!
STAATSANWALT: Unser lieber Freund ging zuerst geschäftlich vor. Wir können uns ungefähr ein Bild machen, wie. Überlegen wir seine Natur, seinen Charakter. Er setzte sich heimlich mit den Lieferanten seines Chefs in Verbindung, sondierte, versprach bessere Bedingungen, stiftete Verwirrung, unterredete sich mit anderen Textilreisenden, schloß Bündnisse und gleichzeitig Gegenbündnisse.
TRAPS: Was wollen Sie denn eigentlich, meine Herren, das ist doch üblich.
STAATSANWALT: Doch dann kam er auf die Idee, noch einen anderen Weg einzuschlagen.
TRAPS: Einen anderen Weg?
STAATSANWALT: Er begann mit dem leckeren Frauenzimmerchen, der Frau Gygax, ein Verhältnis. Wie kam er dazu? Vielleicht war es einmal spät abends, können wir uns denken.
TRAPS: Richtig.
STAATSANWALT: Vielleicht im Winter, so um sechs herum, während die Stadt schön nächtlich war, mit goldenen Straßenlaternen, mit erleuchteten Schaufenstern und Kinos und grünen und gelben Leuchtreklamen überall, gemütlich, wollüstig, verlockend.
TRAPS: Getroffen!
STAATSANWALT: Er war mit dem Citroën über die glitschigen Straßen nach dem Villenviertel gefahren, wo sein Chef wohnte.
TRAPS: Ja, ja, Villenviertel.
STAATSANWALT: Eine Mappe unter dem Arm, Aufträge, Stoffmuster, eine wichtige Entscheidung war zu fällen, doch befand sich Gygaxens Limousine nicht an ihrem gewohnten Platz am Trottoirrand, trotzdem ging er durch den dunklen Park, läutete, Frau Gygax öffnete, ihr Gatte käme heute nicht nach Hause und das Dienstmädchen sei

ausgegangen, trotzdem solle Traps doch einen Aperitif nehmen, sie lade ihn herzlich ein.

TRAPS: Das ist ja verhext, wie du das alles weißt, Kurtchen!

STAATSANWALT: Übung! Die Schicksale spielen sich alle gleich ab. Sie saßen im Salon beieinander. Es war nicht einmal eine Verführung, weder von seiten Trapsens noch von jener der Frau, es war eine Gelegenheit, die er ausnützte. Sie war allein und langweilte sich, dachte an nichts Besonderes, war froh, mit jemandem zu sprechen, die Wohnung angenehm warm. Sie war im Abendkleid, stellen wir uns vor, oder – noch besser, in einem Bademantel mit bunten Blumen. Und wie Traps so neben ihr saß und ihren weißen Hals sah, den Ansatz ihrer Brust, und sie zu plaudern begann, böse über ihren Mann, enttäuscht, wie unser verehrter Freund wohl spürte, begriff er erst, daß er hier ansetzen müsse, als er schon angesetzt hatte. Und dann erfuhr er bald alles über Gygax: wie bedenklich es mit seiner Gesundheit stehe, und wie er überzeugt sei, daß ihn seine Frau nicht betrüge, denn von einer Frau, die sich an ihrem Mann rächen will, erfährt man alles, und so fuhr er fort mit dem Verhältnis, denn nun war es seine Absicht, denn nun ging es ihm darum, seinen Chef auch mit diesem Mittel zu ruinieren, komme was da wolle.

TRAPS: Mit diesen Mitteln?

STAATSANWALT: So nahm denn die böse Geschichte ihren Lauf und so kam denn der Augenblick, wo er alles in der Hand hatte, Geschäftspartner, Lieferanten, die mollige Frau in den Nächten, und so zog er die Schlinge zu, beschwor den Skandal herauf.

TRAPS *langsam, staunend:* Und so zog ich die Schlinge zu?

STAATSANWALT: Dann kam das Verhängnis, die Stunde, da Gygax alles erfuhr. Noch konnte der alte Gangster heimfahren, stellen wir uns vor, wuterfüllt, schon im Wagen Schweißausbruch, Schmerzen in der Herzgegend, zitternde Hände, Verkehrszeichen, die übersehen wurden, Polizisten, die ärgerlich pfiffen, mühsamer Gang von der Garage zur Haustüre, Zusammenbruch, noch im Korridor vielleicht, als ihm die Gattin entgegentrat.

TRAPS *leise:* Aber ich bin doch daran nicht schuld!

STAATSANWALT: Es ging nicht mehr lange, der Arzt gab noch Morphium, dann hinüber, endgültig, noch ein unwichtiges Röcheln, Aufschluchzen, Traps zu Hause im Kreise seiner Gattin, seiner vier Kinder, nimmt das Telephon ab.

TRAPS: Fürchterlich, so ist es ja gewesen.

STAATSANWALT: Bestürzung, innerer Jubel, Es-ist-erreicht-Stimmung, drei Wochen später Studebaker. Dies die Vorgänge. Ich fasse zusammen, stelle den Strafantrag.

TRAPS: Mein Gott, was soll ich denn getan haben?

STAATSANWALT: Herr Gygax ist systematisch ermordet worden.

TRAPS: Systematisch?

STAATSANWALT: Freund Alfredo handelte dolo malo, mit böswilligem Vorsatz. Er handelte im klaren Bewußtsein, daß ein Ehebruch Gygax tödlich treffen konnte.

TRAPS: Das wußte ich doch nicht.

Schweigen.

STAATSANWALT: Ach? Sie wußten nicht, daß Gygax krank war, gefährlich krank, daß eine große Aufregung, eine mächtige Gemütsbewegung ihn töten konnte?

Schweigen.

TRAPS: Das habe ich nicht gesagt.

STAATSANWALT: Was haben Sie nicht gesagt?

TRAPS: Ich gab zu, daß er schwer krank war, der alte Gangster, aber nicht, daß eine mächtige Aufregung ihn töten konnte.

STAATSANWALT: Aber Sie wollten doch nur in unserer gemütlichen Gesellschaft die Wahrheit sagen, lieber Freund Alfredo.

Schweigen.

TRAPS: Nun gut. Natürlich konnte ihn eine Aufregung töten. War ja auch ein Wahnsinn, in seinem Zustand noch den Beruf auszuüben. Aber ich habe mich vorhin nur schlecht ausgedrückt. Ich wollte sagen, daß mein Verhältnis mit seiner Frau nichts mit seiner schweren Krankheit zu tun hatte.

STAATSANWALT: Nichts?

TRAPS: Wirklich nichts.

STAATSANWALT: Weshalb ließen Sie denn Herrn Gygax über den Fehltritt seiner Gemahlin informieren?

TRAPS *unsicher:* Das sagte ich doch schon: weil ich keine Heimlichkeiten vertrage.

STAATSANWALT: Das freut mich. Ein wirklich positiver Charakterzug, liebster Freund Alfredo. Was sagte denn Frau Traps dazu?

TRAPS: Meine Frau?

STAATSANWALT: Haben Sie Ihre Gemahlin auch informieren lassen – da Sie ja keine Heimlichkeiten vertragen?

TRAPS: Ich – ich habe doch Kinder, Herr Staatsanwalt, ich kann doch meine Ehe nicht zerstören, das müssen Sie begreifen.

STAATSANWALT: Aber natürlich, lieber Traps. Dann hat Frau Gygax also keine Kinder?

Schweigen.

STAATSANWALT: Nun?

TRAPS *leise:* Doch. Auch.

STAATSANWALT: Auch. Sonderbar. Aber ihre Ehe durfte zerstört werden?

Schweigen.

TRAPS *entschlossen:* Nun gut. Wenn der Herr Staatsanwalt es unbedingt wissen will: ich wollte ihre Ehe zerstören.

STAATSANWALT: Ach.

TRAPS: Aus Leidenschaft. Weil ich Frau Gygax liebe.

STAATSANWALT: Verstehe. Casanova in Flammen. Doch warum besuchen Sie jetzt Ihre Geliebte nicht mehr?
TRAPS *verzweifelt:* Herr Verteidiger!
STAATSANWALT: Der wird nachher schon noch reden. Einstweilen reinigt er nervös seinen Zwicker. Antworten Sie lieber auf meine Frage.
TRAPS: Ich mußte doch im Geschäft vorwärtskommen. Koste es, was es wolle. Aber Herrn Gygax wollte ich nicht töten, wirklich nicht. Ich dachte nicht im Traum daran.
STAATSANWALT: Sie dachten nicht daran? Nicht einmal im Traum?
TRAPS: Ich rede die Wahrheit, ich schwöre es. Glauben Sie mir doch!
STAATSANWALT: Ich glaube Ihnen ja aufs Wort, liebster Freund Alfredo. Ich will nur gewisse Widersprüche auflösen, die sich bei der Wahrheit herausgestellt haben, nichts weiter. Sie brauchen mir nur zu erklären, was Sie mit der Mitteilung über Ihren Ehebruch bei Gygax bezweckten, und alles ist in Ordnung. Es geschah nicht aus Wahrheitsliebe, es geschah nicht aus Liebe zu Frau Gygax, warum geschah es denn?
TRAPS: Es geschah – ich wollte ihn schädigen.
STAATSANWALT: Das ist eine Antwort. Jetzt sind wir schon ein Stück weiter. Wie schädigen?
TRAPS *mühsam:* Einfach irgendwie –
STAATSANWALT: Geschäftlich?
TRAPS: Ja, geschäftlich – das heißt, eigentlich nicht, mit Geschäft hatte diese Affäre ja nichts zu tun.
STAATSANWALT: Also gesundheitlich?
TRAPS: Eher. Das vielleicht auch.
STAATSANWALT: Einen schwerkranken Mann gesundheitlich zu schädigen versuchen, heißt doch eigentlich, ihn zu töten versuchen, finden Sie nicht?
TRAPS: Aber Herr Staatsanwalt, das ist doch nicht möglich, das können Sie mir doch nicht zutrauen?

STAATSANWALT: Es war aber möglich.
TRAPS: Ich habe mir doch dabei nichts überlegt!
STAATSANWALT: Sie gingen völlig planlos vor?
TRAPS: Nein, das auch nicht.
STAATSANWALT: Also planvoll?
TRAPS: Mein Gott, warum quälen Sie mich denn?
STAATSANWALT: Ich quäle Sie doch nicht. Sie quälen sich. Ich will Ihnen nur zur Wahrheit verhelfen. Es ist für Sie wichtig zu wissen, ob Sie gemordet haben oder nicht. Man mordet oft, ohne es zu wissen. Das muß ich aufklären; oder fürchten Sie sich vor der Wahrheit?
TRAPS: Nein. Ich habe ja schon gesagt, daß ich mich nicht davor fürchte.
STAATSANWALT: Nun? Was ist nun die Wahrheit?

Schweigen.

TRAPS *langsam:* Ich dachte manchmal, daß ich Gygax am liebsten den Hals umdrehen, daß ich ihn töten möchte, aber das tut man doch nun einmal so, das denkt doch jeder hin und wieder.
STAATSANWALT: Aber Sie haben es ja nicht nur gedacht, Angeklagter, Sie haben auch gehandelt.
TRAPS: Das schon – aber er starb doch an einem Herzinfarkt, und daß er einen kriegt, war doch nicht sicher.
STAATSANWALT: Sie mußten aber mit der Möglichkeit rechnen, daß er einen erleiden würde, wenn er von der Untreue seiner Frau erführe.
TRAPS: Damit mußte man ja immer rechnen.
STAATSANWALT: Und trotzdem haben Sie gehandelt.
TRAPS *verzweifelt:* Geschäft ist doch Geschäft.
STAATSANWALT: Und Mord ist Mord. Sie gingen gegen Gygax vor, auch als Sie wußten, daß Sie ihn töten könnten.
TRAPS: Nun ja –
STAATSANWALT: Gygax ist tot. Also haben Sie ihn getötet.

TRAPS: Na ja – indirekt schon.
STAATSANWALT: Sind Sie nun ein Mörder oder nicht?
TRAPS: Ich sehe es ein – ich bin ein Mörder.
STAATSANWALT: Der Angeklagte gesteht. Es liegt ein psychologischer Mord vor, auf eine derart raffinierte Weise ausgeführt, daß außer einem Ehebruch scheinbar nichts Gesetzwidriges passierte, scheinbar, weshalb denn, da dieser Schein nun zerstört ist, ich als Staatsanwalt unseres privaten Gerichts die Ehre habe – und damit komme ich zum Schluß meiner Würdigung – die Todesstrafe für Alfredo Traps zu fordern.
TRAPS *wie erwachend:* Ich habe getötet.
SIMONE: Torte, meine Herren, Mokka, Cognac aus dem Jahre 1893!
PILET: Fein.
VERTEIDIGER: Da haben wir das Unglück! Wieder einmal ein Angeklagter zusammengebrochen, wieder einmal gesteht einer. Da soll ich Verteidiger sein. Halten wir uns an die Schönheit der Stunde, an die Erhabenheit der Natur vor den Fenstern. Die Buchen rauschen. Zwei Uhr nachts, das Fest im «Bären» verstummt, nur noch das Schlußlied trägt uns der Wind herüber, «Unser Leben gleicht der Reise».

Ferner Männergesang.

RICHTER: Der Verteidiger hat das Wort.
VERTEIDIGER: Ich habe mit Vergnügen der erfindungsreichen Rede zugehört, die unser Staatsanwalt eben hielt, meine Herren. Gewiß, der alte Gangster Gygax ist tot, mein Klient hatte schwer unter ihm zu leiden, steigerte sich auch in eine wahre Animosität gegen ihn hinein, versuchte ihn zu stürzen, wer will das bestreiten, wo kommt das nicht vor, phantastisch nur, diesen Tod eines herzkranken Geschäftsmannes als Mord hinzustellen.
TRAPS: Aber ich habe doch gemordet!
VERTEIDIGER: Im Gegensatz zum Angeklagten halte ich

den Angeklagten für unschuldig, ja, nicht zur Schuld fähig.

TRAPS: Aber ich bin doch schuldig!

VERTEIDIGER: Daß er sich selbst zu dem vom Staatsanwalt so raffiniert fingierten Mord bekennt, ist psychologisch leicht zu begreifen.

TRAPS: Aber es gibt doch nur zu begreifen, daß ich ein Verbrechen begangen habe.

VERTEIDIGER: Man braucht den Angeklagten nur zu betrachten, um seine Harmlosigkeit zu erkennen. Er genießt es, in unserer Gesellschaft geliebt, gewürdigt, verehrt zu sein, bewundert auch ein wenig dank seinem roten Studebaker, so daß der Gedanke, einen richtigen, perfekten, durchaus nicht stümperhaften Mord begangen zu haben, ihm zu gefallen beginnt, schwer vom Neuchâteller, vom Burgunder, vom wundersamen Cognac aus dem Jahre 1893. So ist es denn natürlich, daß er sich nun wehrt, sein Verbrechen wieder in etwas Gewöhnliches, Bürgerliches, Alltägliches zurückverwandelt zu sehen, in ein Ereignis, das nun eben das Leben mit sich bringt, das Abendland, unsere Zivilisation, die den Glauben, das Christentum, das Allgemeine mehr und mehr verlor, chaotisch geworden ist, so daß dem einzelnen kein Leitstern blinkt, Verwirrung, Verwilderung als Resultate auftreten, Faustrecht und Fehlen einer wahren Sittlichkeit, so daß denn unser guter Traps eben nicht als ein Verbrecher, sondern als ein Opfer unserer Zeit anzusehen ist.

TRAPS: Das ändert doch nichts daran, daß ich ein Mörder bin.

VERTEIDIGER: Traps ist ein Beispiel für viele. Wenn ich ihn als zur Schuld unfähig bezeichne, so will ich damit nicht behaupten, daß er schuldlos ist: im Gegenteil. Er ist vielmehr verstrickt in alle möglichen Arten von Schuld, er ehebrüchelt, schwindelt, gaunert sich durchs Leben, aber nicht etwa so, daß sein Leben nur aus Ehebruch, Schwindel und Gaunerei bestände, nein, es hat auch seine guten Seiten, durchaus, seine Tugenden, er ist ein Ehrenmann, nehmt alles nur in allem, nur ist er von Unkorrektem, Schuldigem wie angesäuert, leicht verdorben, wie dies eben bei jedem Durchschnittsleben der Fall ist: doch gerade deshalb wieder ist er zur großen, reinen, stolzen Schuld, zur eindeutigen Tat, zum entschlossenen Verbrechen nicht fähig und träumt nun aus diesem Mangel heraus, es begangen zu haben.

TRAPS: Aber es ist doch gerade umgekehrt, Herr Verteidiger. Vorher träumte ich, unschuldig zu sein, und nun bin ich wach geworden und sehe, daß ich schuldig bin.

VERTEIDIGER: Betrachten wir den Fall Gygax nüchtern, objektiv, ohne den Mystifikationen des Staatsanwalts zu erliegen, kommen wir zum Resultat, daß der alte Gangster seinen Tod im wesentlichen sich selbst zu verdanken hat, seinem unordentlichen Leben, seiner Konstitution – was die Managerkrankheit bedeutet, wissen wir zur Genüge: Unrast, Lärm, zerrüttete Ehe und Nerven. Dies gilt es nun zu beweisen. Ich will meinem Klienten eine bestimmte Frage stellen. Angeklagter, wie war denn das Wetter an jenem Abend, als Gygax starb?

TRAPS: Föhnsturm, Herr Verteidiger. Viele Bäume wurden entwurzelt.

VERTEIDIGER: Sehr schön. Damit dürfte wohl auch der äußere Anlaß gegeben sein, der zum Tode führte, häufen sich doch erfahrungsgemäß bei starkem Föhn die Herzinfarkte, Kollapse, Embolien.

TRAPS: Darum geht es doch nicht!

VERTEIDIGER: Nur darum geht es, lieber Herr Traps. Es handelt sich eindeutig um einen bloßen Unglücksfall, aus dem man uns einen Mord konstruieren will, als sei es durch teuflische Berechnung zum Tode Gygaxens gekommen, als hätte der Zufall keine Rolle gespielt. Das sind begreifliche Wünsche, doch keine Realitäten. Natürlich hat mein Klient rücksichtslos gehandelt, doch er ist nun eben den Gesetzen des Geschäftslebens unterworfen, natürlich hat er oft seinen Chef töten wollen, was denken wir nicht alles, was tun wir nicht alles in Gedanken, aber eben nur in Gedanken; eine Tat außerhalb dieser Gedanken ist nicht vorhanden, nicht feststellbar. Daß der Angeklagte durch seine unglückliche Mitteilung über den Ehebruch Gygax ärgern wollte, mein Gott, ist schließlich begreiflich, Gygax war ja selber rücksichtslos, brutal, nützte seinen Untergebenen aus. Und weshalb unseren guten Traps nun auch damit belasten, daß er nicht mehr zur Witwe geht? Es war ja schließlich auch keine Liebe! Nein, meine Herren, es ist absurd, meinen Klienten damit zu behaften, noch absurder, wenn er sich nun selber einbildet, einen Mord begangen zu haben, er hätte gleichsam zu seiner Autopanne noch eine zweite, eine geistige Panne erlitten, und somit beantrage ich für Alfredo Traps den Freispruch.

TRAPS *außer sich:* Meine Herren, ich habe eine Erklärung abzugeben.

RICHTER: Der Angeklagte hat das Wort.

TRAPS *leise:* Ich habe die ungeheuerliche Rede meines Verteidigers mit Entrüstung vernommen, diejenige des Staatsanwalts mit tiefster Erschütterung. Zur Rede des Verteidigers möchte ich mich nicht äußern, sie stellt eine einzige Verleumdung dar, zur Rede des Staatsanwalts sind jedoch einige leise Berichtigungen am Platz, nicht, daß sie wichtig wären, doch, glaube ich, könnten sie dienen, der Wahrheit ganz zum Durchbruch zu verhelfen. So hat mich Frau Gygax nicht in einem Bademantel empfangen, sondern in einem dunkelroten Kimono, auch hat der Infarkt Herrn Gygax nicht im Korridor getroffen, sondern in seinem Lagerhaus, noch eine Einlieferung ins Spital, dann Tod unter dem Sauerstoffzelt, doch dies ist, wie gesagt, unwesentlich. Ich bin ein Mörder. Ich wußte es nicht, als ich dieses Haus betrat, wollte es wohl nicht wissen, nun weiß ich es. Ich wagte nicht daran zu denken, ich war offenbar zu feige, ehrlich zu sein, nun habe ich den Mut dazu. Ich bin schuldig. Ich erkenne es mit Entsetzen, mit Staunen. Die Schuld ist in mir aufgegangen, kommt es mir vor, wie eine Sonne, erhellt mein Inneres, verbrennt es. Mehr habe ich nicht zu sagen. Ich bitte das Gericht um das Urteil.

RICHTER: Lieber Alfredo Traps. Sie stehen vor einem Privatgericht. Es ist daher in diesem feierlichen Moment meine Pflicht, an Sie die Frage zu richten, ob Sie das Urteil unseres nicht staatlichen, sondern privaten Gerichts auch anerkennen?

TRAPS: Ich nehme dieses Urteil an.

RICHTER: Sehr schön. Sie anerkennen unser Gericht. Ich erhebe mein Glas, gefüllt mit braungoldenem Cognac aus dem Jahre 1893. Du hast gemordet, Alfredo Traps, nicht mit einer Waffe, nein, allein durch die Gedankenlosigkeit der Welt, in der du lebst; denn daß alles Absicht war, wie der Staatsanwalt uns glauben machen will, scheint mir nicht so ganz bewiesen. Du hast getötet, allein dadurch, daß es dir das natürlichste war, jemand an die Wand zu drücken, rücksichtslos vorzugehen, geschehe, was da wolle. In der Welt, die du mit deinem Studebaker durchbrausest, wäre dir nichts geschehen, aber nun bist du zu uns gekommen, in unsere stille weiße kleine Villa, zu vier alten Männern, die in deine Welt hineingeleuchtet haben mit dem reinen Strahl der Gerechtigkeit. Sie trägt seltsame Züge, unsere Gerechtigkeit, ich weiß, ich weiß, sie grinst aus vier verwitterten Gesichtern, spiegelt sich im Monokel eines greisen Staatsanwalts, im Zwicker eines dichterischen Verteidigers, kichert aus dem zahnlosen Munde eines betrunkenen, schon etwas lallenden Richters, leuchtet rot auf der Glatze eines dicken, abgedankten Henkers, es ist eine verkehrte, groteske, schrullige, pensionierte Gerechtigkeit, aber auch als solche eben *die* Gerechtigkeit, in deren Namen ich nun, mein armer, lieber Alfredo, dich zum Tode verurteile.

TRAPS *leise, gerührt:* Hohes Gericht, ich danke. Ich danke von ganzem Herzen.

RICHTER: Henker, führen Sie den Verurteilten in das Zimmer für die zum Tode Verurteilten.

PILET: Fein.

STAATSANWALT: Ein schöner Abend, ein lustiger Abend, ein göttlicher Abend.

RICHTER: Haben gut gespielt.

VERTEIDIGER: Habe einfach eine Pechsträhne.

STAATSANWALT: Unsere Arbeit wäre erledigt.

VERTEIDIGER: Nun hat unser lieber Pilet seines Amtes zu walten. Ist aber auch höchste Zeit. Der Morgen steht in den Fenstern, mit seinem steinernen Licht, und die ersten Vögelchen zwitschern.

PILET: Fein. Kommen Sie, Herr Traps.

TRAPS: Ich komme.

PILET: Fein. Die Treppe. Ich gebe Ihnen den Arm.

TRAPS: Danke schön.

PILET: Fein.

TRAPS: Sie haben wohl schon – ich meine – Sie haben wohl schon viele Menschen zum Tode geführt?

PILET: Aber ja – mit meiner Praxis.

TRAPS: Verstehe.

PILET: Fein. Achtung. Jetzt sind Sie gestolpert. Hebe Sie auf.

TRAPS: Danke schön.

PILET: Ich sage Ihnen, manchmal haben die Leute Angst gehabt. Konnten kaum mehr gehen.

TRAPS: Ich gebe mir Mühe, mutig zu sein. Was ist denn dies für ein merkwürdiges Ding an der Wand?

PILET: Eine Daumenschraube!

TRAPS: Eine Daumenschraube?

PILET: Fein, nicht?
TRAPS: Das ist doch ein Folterinstrument?
PILET: Antik. Das Haus ist voll von diesen Dingen. Herr Werge sammelt sie.
TRAPS: Und – dieser Schragen?
PILET: Aus der Renaissance – um die Knochen zu brechen. Da ist Ihr Zimmer. Für die zum Tode Verurteilten. Neben dem für die zu lebenslänglichem Zuchthaus Verurteilten.
TRAPS *voll Angst:* Hören Sie?
PILET: Nur der Tobias. Schläft unruhig.
TRAPS: Und jetzt ein Stöhnen.
PILET: Der Parlamentarier von vorgestern. Schläft immer noch seinen Riesenrausch aus.
TRAPS: Sie brauchen sich nicht zu verstellen, Herr Pilet, wirklich nicht, ich verstehe nun dieses Haus.

Er keucht vor Angst.

PILET: Ruhe, Ruhe. Gleich geht alles vorüber. Treten Sie ein.

Eine Türe knarrt.

PILET: Fließendes Wasser, ein breites Bett, fein.
TRAPS: Das ist alles nicht mehr nötig. Was ist denn dies für eine Staffelei?
PILET: Staffelei? Das ist doch die Guillotine. Gehört auch zur Sammlung.
TRAPS: Die – die Guillotine.
PILET: Fein. Fühlen Sie mal. Eichenholz. Ziehe nun das Fallbeil hoch. Scharfgeschliffen. So, nun ist sie parat, ging aber schwer.
TRAPS: Pa – parat.
PILET: Fein. Ziehen Sie den Rock aus.
TRAPS: Verstehe. Das muß ja sein.
PILET: Helfe Ihnen. Nun öffnen wir den Kragen.
TRAPS: Danke – ich kann es schon selber.
PILET: Sie zittern ja.

TRAPS: Habe schließlich auch allen Grund dazu. Ist schließlich kein Spaß das ganze.
PILET: Haben eben zu viel getrunken. So, jetzt ist der Kragen offen.
TRAPS: Ich habe nichts mehr zu sagen. Ich bin schließlich ein Mörder. Machen Sie schnell.
PILET: Fein.
TRAPS: Ich bin bereit –
PILET: Und die Schuhe?
TRAPS: Die Schuhe?
PILET: Wollen Sie denn nicht die Schuhe ausziehen?
TRAPS: Das ist doch nicht nötig!
PILET: Na, hören Sie mal! Sie sind aber ein feiner Herr. Wollen Sie denn mit den Schuhen ins Bett?
TRAPS: Ins Bett?
PILET: Wollen Sie denn nicht schlafen?
TRAPS: Schlafen?
PILET: Fein. So, nun legen Sie sich mal hin.
TRAPS: Aber –
PILET: So, nun decke ich Sie zu. Fein.
TRAPS: Aber ich bin doch ein Mörder, Herr Pilet, ich muß doch hingerichtet werden, Herr Pilet, ich muß doch – nun ist er gegangen – hat das Licht ausgelöscht. Ich bin doch ein Mör – ich bin doch ein – ich bin doch – ich bin doch müde, alles ist ja schließlich nur ein Spiel, ein Spiel, ein Spiel!

Er schläft ein.

SIMONE: Herr Traps. Wachen Sie auf. Der Garagist ist mit Ihrem Wagen da.
TRAPS: Wagen?
SIMONE: Aber was haben Sie denn, Herr Traps? Es ist neune.
TRAPS: Neun Uhr? Um Gottes willen, mein Geschäft. Muß einen zusammengetrunken haben, letzte Nacht. Die

Schuhe, wo sind die Schuhe? Den Kragen zu, nun den Rock. Hängt an der Staffelei.

SIMONE: Da sind Sie ja schon angezogen, Herr Traps. Herr Werge läßt sich entschuldigen. Wollen Sie nicht frühstücken? Der Parlamentarier sitzt schon im Speisezimmer.

TRAPS: Keine Zeit. Muß weiter. Bin verspätet. Auf Wiedersehen. Vielen Dank für die Gastfreundschaft. War spaßig. Nun, nichts wie los durch den Garten über die Kieswege.

TOBIAS: Gestatten der Herr, daß ich ihm die Gartentüre aufschließe?

TRAPS: Wer sind Sie denn?

TOBIAS: Ich bin Herr Tobias, mein Herr. Besorge Herrn Werges Garten. Ein Trinkgeldchen?

TRAPS: Da haben Sie eine Mark.

TOBIAS: Danke schön dem Herrn, danke schön.

TRAPS: Der Wagen in Ordnung?

GARAGIST: Fehler in der Kupplung. Zwanzig Mark fünfzig.

TRAPS: Da. Und nun ans Steuer!

Leise Schlagermusik.

TRAPS: Muß komisches Zeug zusammengeredet haben letzte Nacht. Was war denn eigentlich los? So was wie eine Gerichtsverhandlung. Bildete mir ein, einen Mord begangen zu haben. So ein Unsinn. Ausgerechnet ich. Kann ja keinem Tierchen was zuleide tun. Auf was die Leute kommen, wenn sie pensioniert sind. Na, vorbei. Habe andere Sorgen, wenn man so mitten im Geschäftsleben steht. Dieser Wildholz! Rieche den Braten. Fünf Prozent will der abkippen, fünf Prozent. Junge, Junge. Rücksichtslos gehe ich nun vor, rücksichtslos. Dem drehe ich den Hals um. Unnachsichtlich!!

ABENDSTUNDE

IM SPÄTHERBST

MIT DEM PRIX D'ITALIA AUSGEZEICHNET

DIE STIMMEN

Der Autor
Der Besucher
Der Sekretär
Die junge Dame
Die zweite junge Dame
Der Hoteldirektor

DER AUTOR *(auch als bloße Szenenbeschreibung oder als Anmerkung zu lesen):* Meine Damen, meine Herren. Zu Beginn halte ich es für meine Pflicht, Ihnen den Ort dieser vielleicht etwas seltsamen, aber – ich schwöre es – wahren Geschichte zu beschreiben. Zwar ist es nicht ganz ungefährlich, wahre Geschichten zu erzählen, jemand von der Polizei oder gar ein Staatsanwalt könnte schließlich zugegen sein, wenn auch nicht gerade dienstlich, doch darf ich mir dies insofern erlauben, weil ich genau weiß, daß Sie diese meine wahre Geschichte nicht für wahr halten, wenigstens offiziell nicht; denn in Wirklichkeit – inoffiziell sozusagen – wissen Sie natürlich – Hand aufs Herz – ganz genau, auch der möglicherweise anwesende Staatsanwalt oder Polizist inbegriffen, daß ich *nur* wahre Geschichten zum besten gebe. Nun, darf ich um eine kleine Anstrengung bitten? Stellen Sie sich den Salon eines Grandhotelappartements vor. Der Preis von Räubern abgekartet. Modern, für einen längeren Aufenthalt hergerichtet. Einverstanden? Links vor Ihnen (Sie brauchen nur die Augen zu schließen, dann sehen Sie den Raum deutlich, nur Mut, Phantasie besitzen Sie wie alle Menschen, auch wenn Sie es vielleicht bezweifeln), links vor Ihnen erblicken Sie verschiedene Tische zusammengerückt. Interessiert Sie der Arbeitsplatz eines Schriftstellers? Bitte, treten Sie näher. Sie sind enttäuscht? Zugegeben, auch die Arbeitsplätze kleinerer Schriftsteller können so aussehen. Eine Unordnung von Papieren, eine Schreibmaschine, Manuskripte, eng mit Korrekturen übersät in verschiedenen Farben, Bleistifte, Kugelschreiber, Gummis, eine große Schere. Leim. Ein Dolch – na ja, aus Versehen hiehergekommen – *räuspert sich.* Hinter diesem Wirrwarr eine Art improvisierte Hausbar – Cognac, Whisky, Absinth, Rotwein usw. – auch dies sagt nichts über die Größe, die Qualität, über das Genie des Schriftstellers aus, um den es hier geht, spricht nicht zu seinen

Gunsten, aber auch nicht zu seinen Ungunsten. Doch beruhigen Sie sich: rechts im Zimmer herrscht Ordnung. Besser: verhältnismäßige Ordnung, wenn ich dieses – na ja, weibliche Kleidungsstück – versorgt habe – in die Ecke damit und auch diesen Revolver – versorgen wir ihn in der Schublade. Fauteuils, groß, weich, bequem, von neuester Konstruktion, und überall liegen Bücher herum, an den Wänden Photographien, Bilder von – nun, das werden Sie vernehmen. Das schönste aber: der Hintergrund. Eine große, offene Türe, ein Balkon, die Aussicht bezaubernd, dem Preise entsprechend, ein lichter See, bedeckt noch vor wenigen Wochen mit weißen, roten Segeln, nun leer, eine tiefblaue Fläche, Hügel, Wälder dahinter, Vorberge. Der Himmel: abendlich. Strand, auch er verlassen, Spätherbst, alles in allem, eine Orgie in Gelb und Rot, doch auf den Tennisplätzen noch Leben, das Ticken von Ping-Pong. Hören Sie? Kehren wir ins Zimmer zurück. Betrachten wir die beiden Hauptpersonen unseres Spiels. Beginnen wir mit mir – Sie hören richtig – *ich* bin eine der Hauptpersonen, es tut mir leid, wirklich. Doch will ich mir Mühe geben, Sie nicht allzu abrupt zu erschrecken. So schiebe ich mich denn vorsichtig von rechts in den Raum, komme eben aus dem Schlafzimmer, offenbar war ich eben beschäftigt – nun, das geht niemanden etwas an, womit ich eben beschäftigt war, obgleich es in gewissen Zeitungen stehen wird, in der Abendzeitung etwa oder im Bild, was steht nicht alles in gewissen Zeitungen über mich, mein Leben ist verlottert, konfus, wild, skandalumwittert, ich will es nicht bestreiten, und den Rest sagt mein Name: Korbes – auch hier hören Sie richtig. Ich bin Maximilian Friedrich Korbes, Romancier, Nobelpreisträger usw. usw., dick, braungebrannt, unrasiert, kahler Riesenschädel. Meine Eigenschaften: Brutal, gehe aufs Ganze, versoffen. Sie sehen, ich bin ehrlich, wenn ich auch nur den Eindruck referiere, den die Welt von mir hat. Möglich, daß dieser

Eindruck stimmt, möglich, daß ich so geschaffen bin, wie ich mich eben geschildert habe und wie Sie mich, meine Damen und Herren, von der Filmwochenschau, von den Illustrierten her kennen, die Königin von Schweden wenigstens – anläßlich der Verleihung des schon erwähnten Preises – meinte, ich sähe genau so aus. Dabei war ich im Frack, hatte allerdings ein Glas Bordeaux versehentlich über die königliche Abendrobe gegossen. Doch wer kennt wen, wer kennt sich. Man mache sich keine Illusion. Ich wenigstens kenne mich nur flüchtig. Kein Wunder. Die Gelegenheiten, mit sich selber Bekanntschaft zu machen, sind rar, stellten sich bei mir etwa ein, als ich über eine Eisfläche des Kilimandscharos in die Tiefe sauste, als die berühmte – na ja, Sie wissen schon, wen ich meine – eine gotische Madonna – nicht die rechts im Zimmer, sondern eine andere – auf meinem Kopf zerschmetterte, oder – nun, diesen Vorfall sollen Sie selber vernehmen. Ich wünsche Ihnen viel Vergnügen dabei. Doch zuerst noch ein Wort zu meiner Kleidung. Auch hier bitte: Verzeihen Sie; meine Damen. Ich trage eine Pyjamahose und einen Schlafrock, offen, der nackte Oberkörper – weißbehaart – ist halb sichtbar. All dies ist nicht zu verschweigen. In der Hand: ein leeres Glas. Ich will zur Bar, stutze jedoch, wie ich den Besucher sehe, der sich unvermutet in meinem Arbeitszimmer befindet. Der Kerl ist bald beschrieben. Streng bürgerlich, klein, hager, einem alten Reisenden in Versicherungen nicht unähnlich, eine Mappe unter dem Arm. Näher auf den Herrn einzugehen ist nicht nötig, schon aus dem Grunde, daß er nach Ablauf unserer Geschichte auf eine ganz natürliche Weise nicht mehr vorhanden, und deshalb auch nicht mehr von Interesse sein wird. Doch genug. Der Besucher beginnt zu sprechen, wir wären soweit.

DER BESUCHER *schüchtern:* Ich freue mich, vor dem weltberühmten und weltverehrten Dichter Maximilian Friedrich Korbes zu stehen.
DER AUTOR *grob:* Zum Teufel, was treiben Sie in meinem Arbeitszimmer?
DER BESUCHER: Ihr Sekretär führte mich herein. Ich harre schon über eine Stunde.
DER AUTOR *nach einer Pause, etwas milder:* Wer sind Sie?
DER BESUCHER: Mein Name ist Hofer. Fürchtegott Hofer.
DER AUTOR *mißtrauisch:* Sie kommen mir bekannt vor. *(Dann geht ihm ein Licht auf.)* Sie sind wohl der Mensch, der mich mit Briefen bombardiert?
DER BESUCHER: Stimmt. Seit Sie in Iselhöhebad weilen. Sprach außerdem jeden Morgen beim Portier vor. Wurde abgewiesen. Endlich lauerte ich Ihrem Sekretär auf. Ein strenger junger Mann.
DER AUTOR: Theologiestudent. Mausearm. Muß sein Studium verdienen.
DER BESUCHER: Es gelang mir nur mit unendlicher Geduld, ihn zu überzeugen, daß diese Zusammenkunft für uns *beide* von größter Tragweite sein werde, verehrter Meister.
DER AUTOR: Korbes. Den verehrten Meister sparen Sie sich.
DER BESUCHER: Verehrter Herr Korbes.
DER AUTOR: Wenn Sie schon in der Nähe der Bar stehen, reichen Sie mir den Whisky rüber – links außen steht die Flasche.
DER BESUCHER: Bitte sehr.
DER AUTOR: Danke schön.

Er schenkt sich ein.

DER AUTOR: Nehmen Sie auch einen?
DER BESUCHER: Lieber nicht.
DER AUTOR: Absinth? Campari? Ein anderes Getränk?

DER BESUCHER: Auch nicht.
DER AUTOR *mißtrauisch:* Abstinenzler?
DER BESUCHER: Nur vorsichtig. Ich stehe schließlich einem Geistesriesen gegenüber. Ich fühle mich ein wenig wie der heilige Georg vor dem Kampf mit dem Lindwurm.
DER AUTOR: Katholisch?
DER BESUCHER: Evangelisch.
DER AUTOR: Durst.
DER BESUCHER: Sie sollten sich schonen.
DER AUTOR *grob:* Sie haben mir keine Ratschläge zu geben.
DER BESUCHER: Ich bin Schweizer, Herr Korbes. Darf ich den Raum näher betrachten, in welchem der Dichter arbeitet?
DER AUTOR: Schriftsteller.
DER BESUCHER: Der Schriftsteller arbeitet? Überall Bücher, Manuskripte. Darf ich die Photographien an der Wand betrachten? Faulkner. Mit eigenhändiger Unterschrift: Meinem lieben Korbes. Thomas Mann: Meinem bewunderten Korbes sein verängstigter Thomas. Hemingway: Meinem besten Freunde Korbes, sein Ernest. Henry Miller: Meinem Seelenbruder Korbes. Nur in der Liebe und im Mord sind wir noch wahr. Und nun die Aussicht. Superb der Blick auf den See mit dem Hochgebirge dahinter und den wechselnden Wolkengebilden darüber. Und eben geht die Sonne unter. Rot. Gewaltig.
DER AUTOR *mißtrauisch:* Sie schreiben wohl?
DER BESUCHER: Ich lese. Kann Ihre ganzen Novellen auswendig.
DER AUTOR: Lehrer von Beruf?
DER BESUCHER: Buchhalter. Pensionierter Buchhalter der Firma Oechslin und Trost in Ennetwyl bei Horck.
DER AUTOR: Setzen Sie sich.
DER BESUCHER: Herzlichen Dank. Es bangt mir ein we-

nig vor diesen übermodernen Stühlen. Ein luxuriöses Appartement.
DER AUTOR: Die Preise sind auch danach.
DER BESUCHER: Kann ich mir denken. Iselhöhebad ist teuer. Für mich katastrophal. Dabei wohne ich höchst bescheiden in der Pension Seeblick. *Er seufzt.* In Adelboden war's billiger.
DER AUTOR: In Adelboden?
DER BESUCHER: In Adelboden.
DER AUTOR: War ebenfalls in Adelboden.
DER BESUCHER: Sie im Grandhotel Wildstrubel, ich im Erholungsheim Pro Senectute. Wir begegneten uns einige Male. So bei der Drahtseilbahn auf die Ängstligenalp und auf der Kurterrasse in Baden-Baden.
DER AUTOR: In Baden-Baden waren Sie auch?
DER BESUCHER: Auch.
DER AUTOR: Während ich dort weilte?
DER BESUCHER: Im christlichen Heim Siloah.
DER AUTOR *ungeduldig:* Meine Zeit ist spärlich bemessen. Ich habe wie ein Sklave zu arbeiten, Herr...
DER BESUCHER: Fürchtegott Hofer.
DER AUTOR: Herr Fürchtegott Hofer. Mein Lebenswandel verschlingt Hunderttausende. Ich kann nur eine Viertelstunde für Sie aufwenden. Fassen Sie sich kurz, sagen Sie mir, was Sie wünschen.
DER BESUCHER: Ich komme in einer ganz bestimmten Absicht.

Der Autor steht auf.

DER AUTOR: Sie wollen Geld? Ich habe keines für irgend jemanden übrig. Es gibt eine so ungeheure Anzahl von Menschen, die keine Schriftsteller sind und die man anpumpen kann, daß man Leute von meiner Profession gefälligst in Ruhe lassen soll. Und im übrigen ist der Nobelpreis verjubelt. Darf ich Sie nun verabschieden.

Der Besucher erhebt sich.
DER BESUCHER: Verehrter Meister...
DER AUTOR: Korbes.
DER BESUCHER: Verehrter Herr Korbes...
DER AUTOR: Hinaus!
DER BESUCHER *verzweifelt:* Sie mißverstehen mich. Ich bin nicht aus finanziellen Gründen zu Ihnen gekommen, sondern, weil – *entschlossen* – weil ich mich seit meiner Pensionierung als Detektiv betätige.
DER AUTOR *atmet auf:* Ach so. Das ist etwas anderes. Setzen wir uns wieder. Da kann ich ja erleichtert aufatmen. Sie sind also jetzt bei der Polizei angestellt?
DER BESUCHER: Nein, verehrter...
DER AUTOR: Korbes.
DER BESUCHER: Verehrter Herr Korbes. Ich bin Privatdetektiv geworden. Schon als Buchhalter gab es allerlei zu enthüllen, und nicht ganz ohne Erfolg. Ich war Revisor, ehrenhalber, in diesem und jenem Verein. Ja, es gelang mir sogar, den Gemeindekassier von Ennetwyl ins Zuchthaus zu bringen als Veruntreuer von Mündelgeldern. Doch, im Alter, wie nun etwas Erspartes zur Verfügung stand und meine Gattin kinderlos gestorben war, beschloß ich, gänzlich meiner Neigung zu leben und dies auf Grund der Lektüre Ihrer Bücher.
DER AUTOR: Meiner Bücher?
DER BESUCHER: Ihrer unsterblichen Bücher! Meine Einbildungskraft entzündete sich an ihnen. Ich las sie fiebernd, mit Spannung, schlankweg hingerissen von den grandiosen Verbrechen, die Sie schildern. Ich wurde Detektiv wie etwa einer auf dem religiösen Gebiet, begeistert von der Meisterschaft, mit der der Teufel seine Arbeit verrichtet, Theologe werden könnte, erzeugt doch jeder Druck einen gleich heftigen Gegendruck. Mein Gott, und nun sitze ich hier, neben einem Nobelpreisträger, und die Sonne geht unter hinter dem Hüttliberg und Sie trinken Whisky...

DER AUTOR: Sie sind dichterisch veranlagt, lieber Fürchtegott Hofer.
DER BESUCHER: Das kommt nur von der Lektüre Ihrer Schriften.
DER AUTOR: Das tut mir leid. Sie sind eher ärmlich gekleidet. Sie scheinen in Ihrem neuen Beruf nichts zu lachen zu haben.
DER BESUCHER: Ich bin allerdings nicht auf Rosen gebettet.
DER AUTOR: Der Justizminister dieses Landes ist mein Freund. Will ihm mal einen Wink geben. Auf welches Gebiet der Kriminalistik haben Sie sich geworfen? Auf Spionage? Auf Ehebruch? Auf den Rauschgift- oder den Mädchenhandel?
DER BESUCHER: Auf das literarische Gebiet.

Der Autor steht auf.

DER AUTOR *streng:* Dann muß ich Sie zum zweiten Mal bitten, diesen Raum auf der Stelle zu verlassen!

Der Besucher steht auf.

DER BESUCHER: Verehrter Herr Korbes!
DER AUTOR: Sie sind Kritiker geworden.
DER BESUCHER: Lassen Sie sich doch erklären ...
DER AUTOR: Hinaus!
DER BESUCHER *verzweifelt:* Aber ich habe doch nur Ihre Werke auf ihren *kriminellen* Gehalt hin untersucht!
DER AUTOR *beruhigt:* Ach so. Dann können Sie bleiben. Setzen wir uns wieder.
DER BESUCHER: Ich bin so frei.
DER AUTOR: Ich wurde schon tiefenpsychologisch, katholisch, protestantisch, existentialistisch, buddhistisch und marxistisch gedeutet, aber noch nie auf die Weise, wie Sie es unternommen haben.
DER BESUCHER: Ich bin Ihnen denn auch eine Erklärung schuldig, verehrter Meister ...

DER AUTOR: Korbes.

DER BESUCHER: Verehrter Herr Korbes. Ich las Ihre Werke auf Grund eines ganz bestimmten Verdachts. Was es in der Phantasie – in Ihren Romanen – gibt, mußte es auch in der Wirklichkeit geben, denn es scheint mir unmöglich, etwas zu erfinden, was es irgendwo nicht gibt.

DER AUTOR *stutzt:* Eine ganz vernünftige Überlegung.

DER BESUCHER: Auf Grund dieser Überlegung begann ich nach den Mördern Ihrer Romane *in der Wirklichkeit* zu suchen.

DER AUTOR *elektrisiert:* Sie nahmen an, es existiere zwischen meinen Romanen und der Wirklichkeit ein Zusammenhang?

DER BESUCHER: Richtig. Ich ging mit messerscharfer Logik vor. Ich analysierte zuerst Ihr Werk. Sie sind nicht nur der skandalumwittertste Schriftsteller unserer Epoche, von dessen Scheidungen, Liebesabenteuern, Alkoholexzessen und Tigerjagden die Zeitungen berichten, Sie sind auch als Verfasser der schönsten Mordszenen der Weltliteratur berühmt.

DER AUTOR: Ich habe nie den Mord allein verherrlicht, es ging mir darum, den Menschen als Ganzes darzustellen, wozu freilich gehört, daß er auch zum Morde fähig ist.

DER BESUCHER: Als Detektiv interessiert mich nicht so sehr, was Sie wollten, sondern, was Sie erreichten. Vor Ihnen sah man im Mord allgemein etwas Schreckliches. mit Ihnen gewinnt man auch dieser dunklen Seite des Lebens – oder besser des Sterbens – Größe und Schönheit ab. Man nennt Sie allgemein *Old Mord und Totschlag.*

DER AUTOR: Nur ein Zeichen meiner Popularität.

DER BESUCHER: Und Ihrer Kunst, echte Meistermörder zu erfinden, denen kein Mensch dahinter kommt.

DER AUTOR *neugierig:* Sie meinen meine – Eigentümlichkeit – den Verbrecher unentdeckt entkommen zu lassen?

DER BESUCHER: Getroffen.

DER AUTOR: Hm. Sie lasen meine Romane wie Polizeiberichte?
DER BESUCHER: Wie Mörderberichte. Ihre Helden morden weder aus Gewinnsucht noch enttäuschter Leidenschaft. Sie morden aus psychologischem Vergnügen, aus Lebensgenuß, aus Raffinesse, aus Drang nach eigenem Erleben; Motive, welche die herkömmliche Kriminalistik nicht kennt. Sie sind für die Polizei, für den Staatsanwalt buchstäblich zu tief, zu subtil. So vermuten diese Instanzen nicht einmal Mord, denn wo sie keine Motive sehen, gibt es auch kein Verbrechen. Nimmt man nun an, die Morde, die Sie beschreiben, hätten *wirklich* stattgefunden, *so müßten* sie der Öffentlichkeit als Selbstmorde, Unglücksfälle oder auch als natürliche Todesfälle erschienen sein.
DER AUTOR: Logischerweise.
DER BESUCHER: Genau so, wie sie der Öffentlichkeit in Ihren Romanen erscheinen.
DER AUTOR: Genau so.
DER BESUCHER: An diesem Punkte meiner Untersuchung kam ich mir wie jener spanische Ritter Don –
DER AUTOR: Don Quichotte.
DER BESUCHER: Don Quichotte vor, den Sie öfters in Ihren Romanen erwähnen. Er zog aus, weil er die Ritterromane für wirklich nahm und ich machte mich dran, Ihre Romane für wirklich zu nehmen. Aber ich ließ mich durch nichts abschrecken. Und wenn die Welt voll Teufel wär, ist immer meine Parole gewesen.
DER AUTOR *begeistert:* Großartig! Das ist ja geradezu großartig, was Sie da unternommen haben!

Es klingelt.

DER AUTOR: Sebastian! Sebastian!
DER SEKRETÄR: Herr Korbes wünschen?
DER AUTOR: Wir werden die Nacht durcharbeiten müs-

sen. Bieten Sie Herrn Hofer eine Zigarre an. Mit etwas werden wir ihm doch eine Freude bereiten können. Brasil? Havanna?

DER BESUCHER: Nein. Nein. Nein. Wenn Sie gestatten, daß ich meinen heimatlichen Stumpen schmauche, den ich mit mir führe?

DER AUTOR: Aber natürlich. Sie können gehen, Sebastian, und nehmen Sie diesen Dolch mit. Ich brauche ihn jetzt doch nicht.

DER SEKRETÄR: Jawohl, verehrter Meister. *(ab.)*

DER BESUCHER: Habe das Prunkstück schon längst bemerkt, verehrter ...

DER AUTOR: Korbes.

DER BESUCHER: Verehrter Herr Korbes. Ein Stoß, und jemand ist hin. Es ist äußerst scharf geschliffen.

DER AUTOR: Feuer?

DER BESUCHER: Genieße aus vollen Zügen.

DER AUTOR: Genießen Sie, lieber Hofer, genießen Sie. Doch vor allem erzählen Sie weiter.

DER BESUCHER: Ich hatte es nicht leicht, zu einem Resultat zu kommen. Eine minutiöse Kleinarbeit war zu leisten. Zuerst ackerte ich Ihren Roman «Begegnung in einem fremden Lande» durch.

DER AUTOR: Meinen ersten Roman.

DER BESUCHER: Vor elf Jahren erschienen.

DER AUTOR: Für den ich den Bollingenpreis erhielt und den Hitchcock verfilmte.

DER BESUCHER: Ich kann nur ausrufen: Welch ein Wurf! Ein französischer Abenteurer, dick, braungebrannt, unrasiert, kahler Riesenschädel, verlumpt, genial und versoffen, lernt eine Dame kennen. Was pickfeines, wie er sich ausdrückt, Gattin eines deutschen Attachés. Er lockt sie in ein zerfallenes Hotel Ankaras, in eine Absteigehöhle übelster Sorte, verführt sie, redet ihr ein, gewaltig in seiner Trunkenheit, ein Homer, ein Shakespeare, das höchste

Glück liege in einem gemeinsamen Selbstmord. Sie glaubt an die Leidenschaft, die sie erlebt, betört von seinen wilden Ausbrüchen, nimmt sich das Leben. Im Liebesrausch. Doch er tötet sich nicht. Er zündet sich vielmehr eine Zigarette an und verläßt das Bordell. Er streicht durch verrufene Gassen, verprügelt einen Prediger der Türkenmission, raubt dessen Armenkasse aus und macht sich im Morgengrauen auf nach Persien. Auf Petrolsuche. Diese Handlung mag trivial sein, da mag die Neue Zürcher Zeitung recht haben, doch in ihrer Knappheit, in ihrer Phrasenlosigkeit läßt sie Hemingway meilenweit hinter sich.

DER AUTOR *amüsiert:* Sie haben nun doch nicht etwa gar in der Türkei nach dieser Geschichte geforscht, lieber Hofer?

DER BESUCHER: Es blieb nichts anderes übrig. Ich verschaffte mir mit erheblichen Kosten aus Ankara Zeitungen aus dem Jahre 1954, in welchem Ihr Roman spielt, und ließ sie von einem türkischen Studenten der eidgenössischen technischen Hochschule durchsehen.

DER AUTOR: Das Ergebnis?

DER BESUCHER: Nicht die Gattin eines deutschen, sondern jene eines schwedischen Attachés, eine blonde, etwas reservierte Schönheit, beging Selbstmord. In einem Hotel übelster Sorte. Aus unbekannten Gründen, wie ich richtig vermutete.

DER AUTOR: Und der Mann, mit dem sie dieses – Hotel besuchte?

DER BESUCHER: Unbekannt... Doch muß es sich nach den Aussagen des Portiers um ein Individuum deutscher Sprache gehandelt haben. Auch wurde wirklich ein Prediger der Türkenmission verprügelt, doch war er in einem zu bejammernswerten Zustand, um genaue Angaben über das Verschwinden der Armenkasse machen zu können. Dann untersuchte ich: «Mister X langweilt sich.»

gen? Weiß Gott, ich würde tausendmal lieber mit Ihnen eine Flasche Wein trinken unten in der Halle und später etwas kegeln, als die Nacht mit der Beschreibung Ihres Todes hinzubringen.
DER BESUCHER: Gnade, verehrter Meister!
DER AUTOR: Korbes.
DER BESUCHER: Verehrter Herr Korbes, Gnade! Ich flehe Sie an.
DER AUTOR: Für die Beschäftigung mit Literatur gibt es keine Gnade.
Der Besucher weicht auf den Balkon zurück.
DER BESUCHER: Hilfe!
DER AUTOR *mit mächtiger Stimme: Sie* sind der dreiundzwanzigste Fall!
DER BESUCHER: Der zweiund...
Gepolter. Dann ein langgezogener verhallender Schrei.
DER BESUCHER: Hilfe!
Stille.
DER AUTOR: So ein Stümper.
DER SEKRETÄR: Herr Korbes! Um Gottes willen, was ist geschehen?
DER AUTOR: Mein Besucher hat sich vom Balkon in die Tiefe gestürzt, Sebastian. Er schien plötzlich von einer panischen Angst erfaßt worden zu sein. Keine Ahnung, weshalb. Doch da kommt schon der Hoteldirektor.
DER HOTELDIREKTOR: Verehrter Herr Korbes! Ich bin untröstlich! Sie wurden von einem Individuum belästigt! Es liegt zerschmettert in den Rosen. Der Mann ist dem Portier seit langem als verrückt aufgefallen. Mein Gott, zum Glück wurde durch seinen Sturz niemand verletzt.
DER AUTOR: Sorgen Sie dafür, daß mich niemand stört.
DER HOTELDIREKTOR *sich zurückziehend:* Aber selbstverständlich, verehrter Herr Korbes, selbverständlich.
DER AUTOR: An die Arbeit, Sebastian. Doch zuerst will ich mir eine Zigarre in Brand stecken.

DER SEKRETÄR: Feuer.
DER AUTOR: Zünden Sie dieses Verzeichnis an auf dem Tisch.
DER SEKRETÄR: Was sind denn dies für Namen?
DER AUTOR: Irgendwelche Namen. Reichen Sie her. Damit geht es am besten. Danke. – Wir müssen uns beeilen. Morgen packen wir die Koffer. Iselhöhebad hat seine Aufgabe erfüllt, wir fahren nach Mallorca.
DER SEKRETÄR: Nach Mallorca?
DER AUTOR: Etwas Mittelmeer tut nun gut. Bereit?
DER SEKRETÄR: Bereit, Herr Korbes.
DER AUTOR: Zuerst noch einen Whisky.
DER SEKRETÄR: Bitte sehr.
DER AUTOR: Ich diktiere: Meine Damen, meine Herren. Zu Beginn halte ich es für meine Pflicht, Ihnen den Ort dieser vielleicht etwas seltsamen, aber – ich schwöre es – wahren Geschichte zu beschreiben. Zwar ist es nicht ganz ungefährlich, wahre Geschichten zu erzählen, jemand von der Polizei oder gar ein Staatsanwalt könnte schließlich zugegen sein, wenn auch nicht gerade dienstlich, doch darf ich mir dies insofern erlauben, als ich genau weiß, daß Sie diese meine wahre Geschichte nicht für wahr halten, wenigstens offiziell nicht; denn in Wirklichkeit – inoffiziell sozusagen – wissen Sie natürlich – Hand aufs Herz – ganz genau, auch der möglicherweise anwesende Staatsanwalt oder Polizist inbegriffen, daß ich *nur* wahre Geschichten zum besten gebe. Nun, darf ich um eine kleine Anstrengung bitten? Stellen Sie sich den Salon eines Grandhotelappartements vor...